中国で儲けた人が絶対に話したくない話

沼田憲男

講談社

中国で儲けた人が絶対に話したくない話◉目次

第二章　中国人のチャランポランに目くじらたてるな

第五章　生きたカネの使い方

中国で儲けた人が絶対に話したくない話

郵便はがき

112

東京都文京区音羽二丁目
十二番二十一号

講談社
生活文化第二出版部　行

（中国で儲けた人が絶対に話したくない話）

料金受取人払

小石川局承認
1257

差出有効期間
平成10年7月
31日まで

★この本についてお気づきの点、ご感想などをお教え下さい。

愛読者カード　　中国で儲けた人が絶対に話したくない話

今後の出版企画の参考にいたしたく存じます。ご記入のうえご投函下さいますようお願いいたします(平成10年7月31日までは切手不要です)。

a　**ご住所**　　〒□□□-□□

b　**お名前**
(ふりがな)

c　**年齢**　(　　)歳

d　**性別**　1男性　2女性

e　**配偶者**　(有　無)

f　**ご職業**　1大学生　2短大生　3高校生　4中学生　5各種学校生徒
6教職員　7公務員　8会社員(事務系)　9会社員(技術系)　10会社役員
11研究職　12自由業　13サービス業　14商工従事　15自営業　16農林漁業
17主婦　18家事手伝い　19フリーター　20その他(　　　　　　　　)

g　**本書をどこでお知りになりましたか。**
1 新聞広告（朝、読、毎、日経、産経、他）　2 書店で実物を見て
3 雑誌(雑誌名　　　　　　　　　　　)　4 人にすすめられて
5 DM　6 その他(　　　　　　　　　　　　　　)

h　**ほぼ毎号読んでいる雑誌をお教え下さい。いくつでも。**

i　**ほぼ毎日読んでいる新聞をお教え下さい。いくつでも。**
1朝日　2読売　3毎日　4日経　5産経
6その他(新聞名　　　　　　　　　　)

j　**値段について。**
1適当だ　2高い　3安い　4希望定価(　　　　　　　　円位)

k　**最近お求めになった本をお教え下さい。**

序章　日本人ビジネスマン、中国のことを本気で知りたいのか

儲《もう》けたヤツほど黙っている

「調査結果に驚きました」――日本企業の投資実態調査をした日中投資促進機構《にっちゅうとうしそくしんきこう》の担当者がこうもらした。

その調査は、一九九七年一月、中国進出日系企業約二千社のうち回答のあった四百五十三社を分析、まとめたものだ。製造業が八割、非製造業が二割だが、担当者が注目したのは、一九九四年以前に操業《そうぎょう》を開始した二百二十三社のうち、およそ二七パーセントに当たる六十社が売《うり》上高経常利益率《あげだかけいじょうりえきりつ》で九パーセント以上という驚くべき成績をあげている回答を寄せたからだ。

売上高経常利益率というのは、企業の期間損益を最も端的に表す経常利益（売り上げから製造原価、販売費、一般管理費、金融収支を差し引いた段階の利益）が売り上げの何パーセントを占めるかを示す代表的収益指標《しゅうえきしひょう》。

今の日本では企業全体の平均が三パーセント程度なので、驚くのは当然だ。

中国でのビジネスはむずかしい、大変だと喧伝《けんでん》され、経営実態がズタズタだというイメージが広がっていたのに、現実には、結構いい成績をあげているところがあるという事実が浮かび

上がったのだ。

もっとも、よくよく冷静に考えてみれば、驚くのも変な話だ。

たしかに日本企業の対中投資ブームは、一時のような勢いはない。しかし、それに代わって米国、ドイツなど欧米勢はここぞとばかりに、中国ビジネスを活発化している。儲《もう》かると思うからこそ、目の色を変えて取り組んでいる。儲けている連中がいるからこそ「それじゃオレも」となるのである。

カネを儲け、もっと儲けたいと思っている人間は「儲かった」などとは言わない。まして、その秘訣《ひけつ》は他言したがらない。

逆に損をした人間は、つい愚痴《ぐち》をこぼす。しかも、その原因は自分にあるなどとは言わない。「相手が悪い」と言うに決まっている。

鄧小平《とうしょうへい》後の中国――情報が統制された国の実態は新聞・雑誌には載《の》らない

鄧小平《とうしょうへい》氏の死去後、知り合いの経営者が中国への出張を予定していた。

「いやあ、相手のトップの都合がつかないので、行くのをとりやめるべきかどうか迷っている

んだよ」

「肝心な人間と会えないんじゃね」

と言う。私はもったいないと思った。

たしかに相手企業のトップと会わないのなら、部下を代わりに出張させたって済む。下手《へた》をすればムダ足になる。それでなくとも忙しい身だ。社長の一時間当たりの所得を計算したら、こと商売という点では間尺《ましゃく》に合わない。私が秘書なら「やめられたらいかがです」ときっと言うだろう。

しかし、私は「行かれるべきではないですか」と中国行きを勧めた。

ここ何年か、中国の話題といえば必ず「ポスト鄧小平の中国はいったいどうなる」であった。

死去の報が伝わるやマスコミは一斉《いっせい》にポスト鄧小平の中国を占う記事や座談会を用意した。目につくものはひとわたり読んだ。ニュース解説も聞いた。ちゃんと注目すべきところを見ているなと思う意見もあったが、ほとんどが、これまで言い古された表面的な見方の羅列《られつ》という印象を受けた。

どうしてそのような印象を受けたのだろうか。ほとんどの意見に「現場感覚」がないから

だ。自らの足で歩き回り、自分の眼で見て、しかるべき人たちと交わりながら聞いたこと、そこから得た結論、見方という〝感じ〟が全く伝わってこないのだ。

私の知り合いにすごい日本人の男がいる。文化大革命の頃、中国にもぐり込み、共産主義青年団の連中と一緒になって全国を回った男だ。共産党や軍の幹部の家族たちと今でも付き合っている。

彼は北京《ペキン》で日本の某社に勤務していたが、機会を作っては中国を歩いていた。現場を見て歩き、いつも現場でものを考えていた。

私も彼に連れられ、中国行脚《あんぎゃ》を数多くした。

「国を知るには、なにごともピンとキリを経験し、知ることですよ」

と彼は私を教育するため、ホテルもレストラン、クラブ、バーも中国の最高のもの、それから最低クラスのものすべてを経験させてくれた。

もちろんそこで見るもの聞くものすべて、初体験。新聞、雑誌などには書かれていない。これが中国かという感覚が体にしみてくる。面白いことに、一度たりとも、こういう現場で日本人に出くわしたことがない。

「ちょっとぼくに食事付き合わない」
「面白い男を紹介してあげる。面白い話が聞けるよ」
と、彼が誘ってくれた。

古い話になるが、中国政府がやぶから棒に外国企業に輸出代金の一部を政府が召し上げる輸出割り当て入札《にゅうさつ》制度を押しつけようとした一九九四年秋のことだ。

日本の某大手商社の社長が、ある副首相に会い、この件で抗議と善処《ぜんしょ》を求めた直後でもあった。

会食が始まるや、紹介を受けた男（中国人）が、

「日本の商社って何も知らないね」

「何ってね、商社の社長は副首相に抗議したのはいいさ。それに対し、副首相は『そうですか、それは自分のあずかり知らない話です』『できるものなら善処しましょう』ってかわして終わったそうだ」

「ところがさ、笑っちゃうのは、その副首相こそが、輸出割り当て入札制度を導入させた張本人なんだよ。側近連中と大笑いしちゃった」

会食後ホテルで、

「今日の話は面白かったでしょ」

「日本の企業はたくさんのおカネを使っているけど、政府に食い込んじゃいない。表に出ない裏の情報をもっていない。とることもできないですよ」

「これが今日の勉強。覚えておいてください」

今の日本には、彼のような人脈と語学力をもつ中国通はほとんどいなくなっている。何かの媒体《ばいたい》を通した二次、三次情報を認識の原点にした人が多いのだ。

情報の統制された中国のこと、これではダメだ。

こうしたことがあり、現場体験の重要さを身にしみて知っているので、

「ポスト鄧小平に関心がおありなら、トップに会わなくても、いろいろな中国人に話を聞き、街を歩き、中国人の表情を見るだけでも何かを感じると思います」

「中国のテレビがどんな放送をしているか。新聞が何を書いているか。評論を読むより、ずっといいと思います」

と、私は知り合いの経営者に助言した。

中国ビジネスが大事なら、経営者は中国にもっと行くべきである。

百聞《ひゃくぶん》は一見にしかず。

ホンモノの情報人間になれ。中国〝評論家〟になったって一銭にもならない

中国という国、そこに住む中国人に対する悪口はあげたらきりがない。

中国でのビジネスを検討するのなら、ビジネスにからんださまざまな悪口が聞こえてこよう。気をつけなくてはいけないことも、立ちどころに集められることだろう。

しかし、ここで一つ、ぜひ気をつけるべきことがある。それらの情報は、それなりに頭に入れておいてもよいのだが、間違っても鵜《う》呑《の》みにしないことだ。

それらの情報に基づいて、中国という国、中国人、中国での商売に、先入観《せんにゅうかん》や固定観念をもたないことだ。

「○○と言われている。しかし、実際のところはどうなのだろう」

「話の裏には何か事情があるのではないか」

と常に疑いをもっておいたほうが、より、本当のことがわかる。

また、情報の真偽《しんぎ》を確認するすべをもっていなくてはいけないのだ。

こういう理解しにくいマーケットで、ビジネスを成功させるためには、経営者には、信長、秀吉、家康のような器量《きりょう》が求められる。

日本経済がようやく復興に立ち上がり、政府が所得倍増計画を打ち出した昭和三十年代に山岡荘八の小説『徳川家康』が、経営者、サラリーマンの間で必読の書となった。また当時、「彼を知り己《おのれ》を知れば百戦殆《あや》うからず」という言葉で有名な孫子の兵法も大はやりした。政府が計画した通りになるのかどうか、半信半疑《はんしんはんぎ》の時代に求められたリーダー像であり、情報戦略が重要だったのだ。

もし今の時代に、こうした英傑《えいけつ》や明治維新の功労者勝海舟だったら、中国人と手を結び、彼らを縦横《じゅうおう》に使って生き生きと中国ビジネスをしているに違いあるまい。

彼らの共通点は天下統一、外国による植民地支配を防ぐといった目標に対する強烈な「意志」をもった人だったことだ。

同時に、その目標を達成させるためには、戦略上、情報がいかに大切かということを肌身で知っている情報人間なのだ。どんな人間が必要な情報をもっているか、集めてくるのかに熟知《じゅくち》していたのである。

信長は破天荒な秀吉を使い、秀吉は野盗ともいわれた蜂須賀《はちすか》小六《ころく》の力を借りた。竹中半兵衛、黒田官兵衛といった策士を活用した。家康は柳生を使い間者《かんじゃ》を組織した。海舟は、坂本竜馬といった浪人たちを手なずけていた。

みな、ある意味では異端《いたん》者であり、世間常識では胡散臭《うさんくさ》い人間である。そんな彼らに情報を集めさせ、根回し、調略を任せていた。優れた指導者は胡散臭いとみられる人間の能力、信用度を見抜く眼力を備えている。この分野では〝旗本〟を盲目的に信じはしなかった。きっちり使い分けていたのである。

一九九五年から九七年初めにかけて、日本と中国の関係は、国交正常化後二十五年のうちで、最悪の状態だった。

最近の総理府の世論調査では、五割強の日本人が、「中国に親しみを感じない」、日中関係を「良好だと思わない」と答えている。

一方、中国のほうも似たようなものだろう。世論調査があるわけではないのでわからないが、人民日報で、日本批判が執拗《しつよう》に繰り返されては、対日世論が良いわけがない。

中国の核実験問題と日本の無償援助《むしょうえんじょ》カット、首相の靖国神社参拝問題、尖閣《せんかく》諸島問題等々、

両国の民意は先鋭化している。九七年に入ってから両国とも首脳の相互訪問を決めるなど、修復に努め始めたが、真の友好にはまだ遠い。

両国双方に、相手の国のことをよく理解している要人が激減し、政治問題を円滑に処理する〝潤滑油《じゅんかつゆ》〟の機能がなくなってきていることの現れである。

同時に、日本の中国研究、中国の日本研究が、ともに〝お寒い〟状態であることとも無縁ではない。

この状況を前提に、眉つば物の情報を集めていると思うべきだ。

本を読んだり、人から又聞きして知ったことだけで、いっぱしの批評家、評論家のように一《いっ》知《ち》半解《はんかい》に中国を語ったところで、一銭にもならない。また、そのような〝評論家〟社員のいい加減な情報を盲目的に信じていては、経営者として失格だ。肝《きも》に銘《めい》じておくべきだ。

会社を離れると判断停止になる日本人は、中国人にとってはいいカモだ

「中国人は今でも、孔子の『論語』の教えは知っているんだろう」

と友人の中国人に聞くと、

「うん、知ってるよ。なんでそんなこと聞くの」

友人は怪訝《けげん》な表情をする。前の日に中国人に、いやな思いをさせられたので、

「中国人は『己の欲せざること、人に施《ほどこ》すことなかれ』という、孔子の教えを知らないのかね」

と毒づいた。すると友人は、

「中国人は『論語』の教えを、他人に対して求めるんだよ」

「自分には求めないよ。わかってないね」

ショック。

日本人は、中国の文化に親近感をもっている。漢字も仏教も儒教も、そしてお茶や中華料理。あらゆる生活の中に、中国から伝えられた文化が入り込んでいる。顔も皮膚の色も似ている。だから、なんとなく、わかりやすい国、文化と思い込んでいる。

だが、全く違う。

だいたい、みんな声が大きい。なんでこんな大声で話すのだろうと思う。

議論になると、突然みんな〝熱く〟なる。眉を逆立《さかだ》てヒステリーのような表情にサッと変わる。まるでどなりあいの喧嘩《けんか》だ。慣れない頃はビックリした。

身の回りの小さなことから始まって、あらゆることで、日本人の常識は、打ち砕《くだ》かれることだろう。

ワシントンから友人のアジア政策の研究者が来日し、中国の話になった。彼らは中国をどう見ているのかと思い、米国人の中国観について聞いてみた。

「ロマンティック・アンド・ディスアポイントメント（失望）だよ」

と、すぐ答えが返ってきた。

「だから、米国の中国政策は両方の間を極端に大きく振れちゃうんだよ」

米国人にとっても不思議の国――ワンダーランドなのだそうだ。

さて、そんな国に、相手のことをわかったつもりになって、商売に行っているのが日本のビジネスマンだ。

「中国人との商売はむずかしい」

「中国人にカネをたかられ、損をした」

などなど、次から次へと日本人ビジネスマンの愚痴とぼやきが聞こえてくる。

話を聞きながらその原因をたどっていくと、日本的なる会社システム、その中ではぐくまれ

た日本人ビジネスマンの意識、行動様式の壁にぶち当たる。
「目先の利益ばかりにこだわって、相応のリスクをとらない」
「経営者が決断しない」
「稟議《りんぎ》で決定に時間ばかりかかる」
「日本人は中国人と仲間社会をつくろうとしない」

　そして、この問題は、中国ビジネスに限られた問題ではない。他の発展途上国ビジネスにも当てはまることがたくさんあるはずだ。

　日本人、日本の会社は、欧米の先進国相手に商売をし、大成功を収めもした。海外進出もし、国際化した、国際化したという。

　しかし、ほんとうにそうだろうか。先進国に展開した現地法人が、独立した優良会社になったという話はあまり聞かない。むしろ失敗談や苦労話のほうがはるかに多い。

　いわんや中国のように、経済制度がまだ先進国並みに整っていないようなところでは、大苦戦しているのが現実である。

　冷戦下、自由主義陣営のアジアの砦《とりで》としての日本の時代、米国は戦略的観点から、自国の豊かな市場を日本に提供し、日本は高度成長を謳歌《おうか》した。ひょっとしたら、日本株式会社の成功

とは、そんな特殊《とくしゅ》な時代における、特異な成功、ただそれだけのことだったのかもしれない。

日本企業は、ビジネスの国際標準にむけたリストラ、精神をも含めたリストラを迫られている。

第一章　宴会は大切なビジネスの場

初対面でもまず食事の約束から。相手の品定めは宴会にあり

まず、中国人と友達になること。ビジネスはここから始まる。

人間関係を円滑《えんかつ》にすること、これが、ビジネスにとって大切なことは当たり前だが、相手が異民族となれば、なおさらのこと大切になってくる。

ではどうするか。「本能をともにすること」――これに尽《つ》きる。

人間には、食べる、飲む、人と群れる、遊ぶ、寝る等々、いろいろな本能がある。この本能を一緒に体験し合い、共有することこそが、人間関係をしっくりしたものに作り上げていくのである。

内蒙古《うちもうこ》に仕事で行ったときのことだ。北京からようやくたどりついて、ホテルに着き、部屋で休んでいると、相手の会社の総経理（社長）が挨拶《あいさつ》に来られた。

名刺交換が終わり、時間もあるので、仕事の話を持ちだした。

「仕事は、あとあと。まず友達になろう」

「友達にならなければ仕事はしない」と、話は、酒と食事のことだけ。

「君の話はむずかしい。まあ、いいから。乾杯しましょう」

仕事の話をしようと思うと、さっと盃《さかずき》が目の前に出てくる。

中国人は、ほんとうに宴会好きな民族だ。

しかし、これにはどうやらちゃんとした理由がある。

宴会で人物の品定めをする――こんな狙《ねら》いが隠されている。

北方地方と南方地方とでは、酒についての習慣は全然違うが、北方地方では、「大酒飲みは、いい人間」というのが定説であるといった、ウソかマコトかわからない話があるくらいだ。ともあれ、中国流宴会のことをなにも知らないと面食《めんく》らってしまう。せっかく、いい友達になるチャンスなのに、チャンスを生かしきれないことだってある。

相手の心を知り、自分の心を伝え、そして、相手の心を摑《つか》む。そのためのプロトコル（外交儀礼）から話を始めよう。

古今東西、宴会の本質は変わらない。日本だって、仕事上、宴会は大切な〝場〟である。が、日本の場合、昨今は品が良くなってしまっている。

ドンチャン騒ぎをしなくなってきている。昔は大酒食らい、座敷で裸踊りを始め羽目《はめ》をはずすような人はいくらでもいたが、昨今のサラリーマンは教養が邪魔《じゃま》しておとなしい。今でも地

方に行くと「お高くとまってら」と言われる。同じことが中国でも言われると思ったらいい。格好つけず、お高くとまらず、「楽しんじゃう」の精神を素直にさらけ出すのがいちばんだ。「宴会こそが仕事の主戦場」——そう心得て臨《のぞ》まれることを強調しておきたい。

小人数から大人数まで、いろいろな形はあるが、一緒にテーブルを囲み、おおいに食べ、飲み、話し、群れ合えば、お互いの理解が深まること必定《ひつじょう》である。

これから、付き合いたいと思う組織と初会合の打ち合わせがあるとしよう。私は、この打ち合わせの会議中に、こっそりと、相手側の中のしかるべき人間をつかまえて、その日の夜の会食の約束をとりつけてくる。

「この後、宴席を設けて、食事にお招きする」

と相手に申し入れるのだ。すると、たいてい相手側が、

「いやいや、先生方こそお客様、われわれがお招きする」

といったようなやりとりになる。

どちらが費用をもつにせよ、これで、宴会が成立する。

仕事の話はきちんと進める一方で、裏で宴会設営の準備をするのだ。相手側の担当者と一緒になって、出席者は誰と誰、何人、レストランはどこ、何時に始めるかを決めるのだ。

しかめっ面しながら会議をしているメンバーに夕食の話が伝わり始めると、どういうわけか、みなリラックスし始めるから不思議だ。

さあ、会議が終了する。会食がなければ、「ではまた」といった程度の実に無味《むみ》乾燥《かんそう》なやりとりで別れてしまうにちがいない。

ところが、このあと、宴会がひかえているとなると、別れ際に、「クルマの手配はどうしよう」「誰が何時に迎えに行く」——といった、行動予定について、双方が、今度は立ち話をしながらやりとりすることになる。

そして、段取りがすべてついたところで、「じゃあ、またあとで……」と別れることになるのである。

双方、なんとなく身構えた会議から、かみしもをぬいだ、第二ラウンドの会議に移るのだ。

自分の箸《はし》で他人の皿に料理を取ってあげる

親友の日本人の細君があるとき、「うちの人は、Ａ女史といい仲なのではないか」と、私にさぐりを入れてきたのに驚いたことがある。

なんでまたそう疑うのか、と聞いたところ「だって主人たら、食事を一緒にしているときに、Aさんにお箸《はし》でお料理を一生懸命取り分けてあげるんですもの」「優しい人なのは知っているけど、あそこまでするのは、おかしいですよ」と言うのである。

彼とよく食事を一緒にするので、彼のテーブルマナーは知っている。確かに、細君が言うように、まわりの人の食事に気を配り、親切にせっせと食事を箸で取り分けるのである。

かくいう私も、皿を空にしていると彼が「これおいしいですよ」と料理を取ってくれる。そこで細君に「A女史だけではないですよ、私にも親切にそうしてくれますよ」「変に疑ってはだめですよ」と言って、この問題、一件落着したことがある。

このようなとんでもない問題を起こすほど親切なこの友人は、日本人でありながら、中国人の習慣を自然に身につけたほとんど中国人のような男なのだ。

それだから、中国人たちは、彼に好感をもち信頼を寄せている。

宴席のとき、私は彼からまわりの人の食事に気を配り、料理を勧めることを教わった。

日本では、自分の口につけた箸で、大皿から料理を取ることはしない。「取り箸」というものを必ず添えるはずである。まして自分の使っている箸で、大皿から料理を取り、まわりの人の皿に置いたら「行儀が悪い」とたしなめられるであろう。

これもおいしいですよーどーぞどーぞ
さめないうちに
せっせせっせ
あやしい……
夫
妻

しかし、郷に入っては郷に従え。中国では、そうではないのだ。正直、最初の頃は、なんとなく、されるのにもするのにも違和《いわ》感を覚えた。

しかし、わが親友をはじめ、仲良くなった中国の友人たちから、

「これはおいしいよ」

「次は、これを食べてごらん」

と、どんどん料理を取ってもらっているうちにすっかり慣れてしまった。

セミとかアリとかヘビとか、いわば〝ゲテモノ〟的珍味料理が出てきたときなどは、この〝親切合戦〟をやることで会食がいっそう楽しいものになってしまうから面白い。

河南《かなん》省の田舎町へ行ったときのことだ。

同行したのは、中国系米国人の女性コンサルタント。年齢は三十歳を少し越えた妙齢《みょうれい》の美女。中国上流階級に生まれ、中国で育ち、米国人と結婚したのだ。

現地の中国人たち数人と昼食を一緒にした。

円卓の上には小皿の前菜多数、その真ん中に大きな山盛りの唐揚げ。そして生ビール。

「この唐揚げはいったい何なの」

美女はわれわれがおいしそうにパクパク食べ、ビールのおつまみにしているものを指して気《き》

味《み》悪《わる》そうに聞いてきた。

「セミですよ」

「セミが土中から木に登ろうとして出てきたところを捕まえて揚げたんですよ」

「塩気といい、香りといい、おいしいですよ」

まわりの中国人が一生懸命うんちくを披露する。

みんなで彼女に勧めるが、眉をひそめて、

「気持ちが悪い。いらない」

と逃げる。

「目をつむって食べてごらんなさい」

「鼻もつまんで食べれば大丈夫」

「こんなおいしいものを食べなかったら、後悔する」

と中国人たちはパクパク食べ、ビールをおいしそうに飲み干し、お代わりをとる。

それを見て彼女もなんとなく、一口くらいならという風情《ふぜい》をみせ始めた。

「さあ、もうなくなります。最後の一つです。目をつむって食べてごらんなさい」

と隣の中国人が箸を取って、彼女の皿に入れてあげる。

意を決して彼女は目をつむり、鼻をつまんで口に入れる。顔をしかめ、ゆっくりかむ。だんだん、普通の顔に戻り目を開けた。

まわりの中国人たちは、じっと彼女の様子をうかがう。

飲み込んだ。と、

「もう一皿、お代わり」

――彼女は大声で注文をした。

日本人には抵抗があるかもしれないが、会食のとき、左右の人の皿が空になったら、そっと自分の箸で大皿から料理を取り「召し上がれ」という気持ちを込め相手に料理を勧めてみてほしい。

また、魚料理が一匹まるごと出てきたら、頭のところをゲストに向けるように皿を動かし、頭の部分を「どうぞ」と勧めるのがエチケットだ。

焼きギョーザと芙《ふ》蓉蟹《ようはい》は中国にはない

「ギョーザが食べたいな」「どこか案内してよ」――ある会社の役員のご要望。そこで北京で

も評判のおいしい料理屋に案内した。

種類がたくさんあるので数品とった。ビールでノドを潤《うるお》し、待つことしばし。次々と出てくるギョーザに舌鼓《したつづみ》を打った。

おなかがいっぱいになり、注文した料理が出尽くす頃、この役員氏「おい、あれがないじゃないか」と私に不満を言いだした。

あれとは、日本の焼きギョーザのことである。

「中国のギョーザはほとんど水ギョーザと蒸しギョーザです」

「あれはないんですよ。肉体労働者のたむろするところへ行けばあるかもしれませんがね」

と説明した。

「しかし、なんでこれほどの店に焼きギョーザがないんだ……」——私に言われても困ってしまう。「ここは中国なんだ。日本じゃない」

もう一つ。ある料理屋に入ったとき、連れの日本人が「フカヒレのスープに芙蓉蟹《ふようはい》をぜひ食べたい」と言い出した。

ずいぶんとシャレたことを言うではないか。しかし、「芙蓉蟹はないの」と教えてあげた。でも納得してくれない。「ないはずはない」と言うのだ。

「芙蓉蟹に似た卵料理はいろいろあります」「でも、そういうのは家庭で作っているもので、料理屋では出さないんですよ」と、同行の中国グルメが助け船を出してくれた。

それでも「いや、広東《カントン》料理にあるはずだ……」と譲《ゆず》らない。これには困った。

中華料理は日本人の食文化の中にしっかりと根付いている。それどころか相当のシェアを占めている。中華料理店の多さでもわかる。日本人の中華料理の〝知識〟も豊富である。

しかし、日本の中華料理と本場中国の料理は明らかに違う。

私に言わせれば、日本の中華料理は、中華料理をベースにした〝完全なる日本料理〟だ。長い時間をかけ、日本人好みの味、調理方法に変化してしまっている。それゆえ、日本の常識を持ち込まれても、通用しないことも多々ある。

日本人同士で、昼食をとったときのことだ。それぞれが食べたい料理の名をあげた。

「そばがいいな。スープめんにしよう」「俺は焼きそばがいい」「じゃあ私はギョーザをとろう」「チャーハンもとるか」

日本なら、これを各人が取り分けて食べても別段、誰も変に思わないだろう。

しかし、中華料理では、これは全部「主食」。

大切なビジネス相手の中国人と食事をとるときにこんなことをしたら相手がびっくりする。

野菜、魚、肉、スープ、これをどんな組み合わせでとるか、それを楽しむのが中華料理なのだ。

それといま一つ。宴会料理を中華料理のすべてと決して思ってはいけない。高級レストランの中には、たしかにおいしい中華料理を出してくれるところがある。そういったレストランの料理も食べておく価値はある。誰かを招くときには重要なビジネスの武器になるからだ。

しかし、本当においしい中華料理は、宴会料理ではない。家庭料理だ。

付き合いの長くなった中国人と食事をしたときのことだ。

「いつも、いろいろ変わったおいしい料理を紹介してもらっているけれど、なんか食傷《しょくしょう》ぎみになってきました」

「日本でもレストランや料亭の食事より、はるかにおいしいのが家庭料理です。中国も同じじゃないんですか」

と言った。

「そうですよ。注文してみますか」

「ぜひ紹介してください」

彼は注文取りの小姐《シャオジエ》を呼ぶと、

「モヤシとニラはある？　トマトと大根は？」
と聞き、料理の仕方を伝え、厨房《ちゅうぼう》に行ってできるかどうか聞いてくるように指示した。しばらくすると、できるという返事がきたので楽しみに待った。

モヤシとニラはそれぞれ、おいしい炒めものにし、トマトは卵と炒め、大根はスープの具になって出てきた。

ご飯をとり、かき込むように食べた。おいしいのなんの。今まで何を食べていたんだとさえ思った。

食事が終わり勘定をするときに、

「われわれは、このレストランで今日、最低の客」

「店のマネージャーは、いやな奴らだと思っているよ。だって、いちばん安い料理ばかりだもん」

「今度は、家庭料理専門の店に連れていってあげます」

とニコニコしていた。

仕事先との食事も、お互いに見栄をはらず家庭料理を突っつき合うようになれば、しめたものだろう。

酒の力を借りて重要事項を聞いてしまう

招いたにせよ、招かれたにせよ、宴会での最大の仕事は、お互いに仲良くなり、信頼感を培《つちか》うことである。

心得なければならないことは「宴席は相手から情報を引き出す絶好のチャンスである」ということである。

言葉がうまくできないので黙りこくってしまう人。慣れない雰囲気に気《き》後《おく》れしてしまう人等々、まるで〝借りてきたネコ〟のような人が多い。しかし、そんなことでは、仕事にならない。

宴席では、お互いにリラックスし、自由に語り合う。昼間の仕事のときには聞いては失礼にあたること、聞いてもちゃんと答えてくれないことでも、宴席なら平気で答えてくれる。

例えば、こんなことがあった。

初対面のある会社の董事長《とうじちょう》（会長）の氏素性《うじすじょう》を確認したいことがあった。父上が中国の銀行の有力な幹部と小耳にはさんでいたからである。

日本人なら、側近とか秘書にこっそり聞いてもいっこうにさしつかえないが、中国では不躾《ぶしつけ》

ととられる。初対面の人に、まともに聞いては失礼にあたる。そういう話は、相手が言うまで待たなければいけない。

　そこで、私は宴席で、雑談しながら、

「ところで、ご家族は何人ですか」

「ご両親も北京で一緒に暮らしていらっしゃるのですか」

――と家族のことに水を向ける。家族のことを話題にするのは、どこの世界にいっても当たり前のことだ。だから相手も、気楽に話してくれる。

「お父さんも、あなたと一緒に仕事しているのですか」

「いや、父は銀行マンですよ」

「どちらにお勤めなのですか」

「○○銀行で○○○をしてます」

　打ち解けてしまった後なので、ニコニコしながら話をしてくれた。

いま一つ。中国は、日本や米国とは違い、企業内容の開示（ディスクロージャー）の観念は薄い。習慣もない。欧州に似ていると思ったほうがいい。

　国有の大型企業の中には立派な会社概要《がいよう》を持っているところもある。頼めばくれる。しか

○△が
□×と
○○で
それから
メモは
紙ナプキンに
そっとね
ささっ

し、そんなことは例外と思っていたほうがよい。たいてい不備なのだ。

そこで、宴席を活用するのだ。

ある程度相手の会社のことを知ったうえで商談に臨んでいるとはいえ、相手のことについて、知っておきたいことは山とあるはずだ。

しかし、昼間の商談の席で、そんなことを聞いても、相手は、あやふやなことしか言わないケースが多い。また、そんなことにいたずらに時間を費やしては、もったいない。

宴席で酔っぱらったときこそ、そういう機会にはもってこいなのだ。

「儲かっているんでしょ」

「年商はどれくらいなんですか」

「総資産も大きいんでしょうね」

「そんなにいろんな分野に出ているんですか。会社は分けていないんですか」

どんどん質問したらいい。相手も口が滑らかになり、気楽に答えてくれる。

ただし、ここで重要なことがある。間違ってもペンとレポート用紙を出し、メモを取ろうなどと、無粋《ぶすい》なことはしないことだ。そんなことをしては、座がしらけてしまう。相手に対して、それこそ無礼である。

そこは、知恵を働かせるのだ。

私は名刺交換したら、相手の名前の読み方を教わることにしている。ペンを出し、読み方を名刺に書く。取り出したペンは、そのままテーブルに置き放しにする。

テーブルの上には、必ず紙のナプキンがある。なにかメモっておきたい名前や数字が出たなら、このナプキンにちょっとメモをとり、ポケットに入れてしまう。

また、相手の会社のことを聞いているとき、

「その資料があったら、あとでください」

と約束をとりつけてしまう。

〝必要は発明の母〟――相手の気を損《そこ》ねないやり方は、いくらでもある。

招待されたら素直に受ける。招待したら熱烈歓迎、席次《せきじ》に注意

こちらが招待を申し入れたにもかかわらず、相手が「われわれが、ご招待する」と言ってくれたら、素直に「わかった」「謝謝《シェーシェー》」と好意を受けたらよい。

「先方は、われわれを歓迎してくれているのだ」と素直に受けとめ、喜べばよい。それが相手

に対する礼儀である。われわれは客である。客になればよい。

そのかわり「次は、私があなたを招待する」と即座に申し入れ、話を決めるのだ。

もちろん、相手には相手の都合がある。最も重要な人物を呼べればそれにこしたことはないが、その人が、都合で来られないこともあろう。

しかし、その人が来られるか来られないかなど気にしない。来られない場合でも、相手は、ピンチヒッターを用意してくれる。

代役と思ってあなどったりがっかりしてはいけない。そのピンチヒッターを本人と思って、最大限、熱烈歓迎すればよい。

ピンチヒッターは思うだろう。「オレを大事にしてくれている。いい奴らだ」そしてさらに「こんなに大事にしてくれるとは、わがボスは偉いんだ。相手にとって大事なんだ」と。

大切にされたことがボスに伝わる。部下に対するボスの面子《メンツ》も大いにたつ。

さて、次は席順だ。招かれたときは、相手が席を決めてくれるので、それに従えばよい。日本式に、一度は遠慮してみせるのもよいだろう。しかし、相手の好意には「謝謝、謝謝」と素直に応えるのだ。

問題は、招待するときだ。この席順については、慎重《しんちょう》の上にも慎重を期したほうがよい。

中国では、上座は日本と逆。日本流でいちばん良い席にホスト側のトップが座り、お客を歓待する。その右横にいちばん大切なお客様に座っていただくのである。

ホスト側のトップの対面にホスト側のナンバー2が座る。あとは客の間にホスト側が適当に入る。

次に大切なのは、宴席を大いに盛り上げるよう配慮しなければいけないことだ。

ここで悩ましい問題にたいていぶつかる。一テーブルですめばなんのことはないが、テーブルの数を二〜三に分けなくてはならない人数になったときだ。

このときはすべてのテーブルをまんべんなく盛り上げようなどと悩まないことだ。メインの第一テーブルに双方とも偉い人間を集中させてしまうのだ。

第一テーブルを徹底的に盛り上げるのだ。するとその雰囲気が伝播《でんぱ》し、よその席もにぎやかになる。

雰囲気作りのために仲の良い人同士ができるだけ近くになるようにするのだ。

招く相手のそれぞれの序列がはっきりしているのなら簡単だ。しかし、相手が役所の場合、たとえば局長が二人いたとする。どうするか。

「中国のことはよくわからない。どちらに上座のいちばん良い席に座っていただけばいいので

すか」

「テーブルを二つに分けてそれぞれに上席を用意すべきですか」

相手の幹事にざっくばらんに聞いてみるのだ。

「○○局長を上席にしてください」

「二人は仲が良いので心配ありませんよ」

「それより○○を必ず呼んでください。今後の仕事は彼が窓口になりますので」

親切に知恵を貸してくれる。そして、それがいちばん良い結果を生む。

「乾杯《カンペイ》」は恐怖の習慣。この立ち回り方が評価の分かれ目

中国の客人を招待し、宴会を成功させられるかどうかには、いろいろ知っておかなければいけないことがある。その中で、まず第一に大事なことは、上手に乾杯ができるかどうかである。

日本でも昔は、盃をかたむけ、互いに、さしつさされつしながら、酒を酌《く》み交《か》わし、交友を深めた。生活が豊かになり、酒を飲むことの有《あ》り難《がた》みがすっかり薄れた今日、日本で、酒の飲

み方をいちいちうるさく言う人はいなくなった。

その感覚で中国に行くと、すっかり面食らうことになる。昔の日本と同じように、酒好きが大勢いて、飲み方にもマナーがあり、飲み方を大いに楽しみながら、友情を深めるのである。日本では宴席のはじめに一回乾杯すれば、あとは静かに、お互いに酒を勧めるなり、手酌《てじゃく》で勝手に飲む。

しかし、中国では、座が盛り上がるにつれ、「乾杯《カンペイ》」の連呼となる。というより、「乾杯」が連呼されないと座が盛り上がらないといったほうが正しいのかもしれない。

もちろん、米国や欧州、また、日本といった先進諸国での生活経験者は先進国のマナーを心得、バカ騒ぎをしない人たちも増えてはいる。また、酒が大好きでも社会的地位の高い人は、羽目をはずさないし、マナーもきれいだ。

しかし、中国には、酒の強い、これはもう〝宴会要員〟じゃないかと思う人が必ずといっていいくらいいる。宴会盛り上げ役の〝芸能人〟もでてくる。

こんな連中を相手に乾杯しつつ、座の盛り上げに協力するのだ。酒が好きであろうとなかろうと、要は楽しい宴会にしなくちゃいけないのだ。とりすましたお偉方《えらがた》も、宴会が盛り上がる

ことで、宴の目的を果たしたと内心ホッとし、喜んでいるのだ。

そして、お客様に対しては、心ゆくまでお酒を楽しんでいるかどうか常に気を配る——これが基本である。

中国の人は招かれた席で、勝手に手酌では飲まない。図々しく飲むどころか、相手に勧められなければ、飲みたいと思っても遠慮する。

そこで、相手に対して、「乾杯」と言って、盃を勧めるのである。勧められて初めて、彼らは酒を口にする。飲み干したら、お互いにグラスを相手に向かって逆さまに返し、飲み干したことを示す。すると店の小姐《シャオジエ》がサッと盃に酒を満たす。

これを繰り返すのである。

ここでもう一つ大切なポイントは、ただ、「乾杯」と言っても、実に味気ない。座も盛り上がらない。どうするか。

相手の話の中から乾杯のきっかけを見つけだし、それに引っかけては乾杯するのだ。たとえば仕事の話だったとしよう。「仕事がうまくいくように乾杯！」とやればいい。

家族の話が出たとしよう。「奥様の健康に乾杯！」「息子さんの成功を祝して乾杯！」等々大いに酒を勧めるのだ。

照れとか、遠慮などしてはダメである。

ただし、中国の酒は、日本酒と違って、アルコール濃度が高い。四〇度台、ものによっては五〇度を超える。ちなみに日本酒は十数度ぐらいなので数段強い酒であることを忘れてはいけない。

飲む前に、アルコール濃度を調べたうえで、飲むペースを調整する必要もある。

中国の酒は、中華料理とマッチした酒である。料理をたくさん、おいしく食べ、酒を楽しむべきである。

ところで、酒豪の中国人が日本に来たとき、日本流で押し切るか、それとも中国流でやるかという問題を考えてみたい。

ある冬の晩、中国人にフグ料理をご馳走《ちそう》したときのことだ。日本のマナーを教えてあげるという理由をつけ、日本流で飲んでいた。すると、

「乾杯しようよ」

と言い出した。フグのヒレ酒の熱燗《あつかん》をだ。

「日本では、そういうのを行儀が悪いというの。ダメ」

するとなんともつまらなそうな顔をする。

アルコール度が、彼のふだん飲んでいる白酒《パイチュー》よりはるかに低いので、なかなか酔えないのだろうと同情した。

そこで、まあ一回ぐらいいいかと思い、

「じゃあ、一回だけ乾杯しよう」

まあ、喜んだのなんの、破《は》顔《がん》一《いっ》笑《しょう》。

ところが、図々しい男で、

「もう一回、乾杯」

とくる。いいかげん、こっちも酔っぱらっているので、相手のペースに巻き込まれ、乾杯、乾杯。

彼が、この日の宴を喜んだこと喜んだこと。

仕事としては上出来の一晩であった。

しかし、帰りの車の中で……。

この方式をやるかどうか。個々人で判断されたい。

下戸《げこ》の宴席は「随意《スイイー》」で付き合う

では、酒の弱い人は、いったいどうすればよいのだろうか。

何も心配することはない。下戸だって立派に宴席は盛り上げられる。

乾杯をしたら、双方とも、盃をきれいに、一気に飲み干さなければいけない。乾杯をして、チビリ、チビリ飲むなどということは許されない。下戸には、乾杯の連続は難行苦行である。

しかし、弱いくせに、強がって、悪酔いしたり、汚い酒になったら、それこそ、相手に失礼をすることになる。それだけはしてはいけない。

弱い人は、乾杯の代わりに「スイイー（随意）」と言って酒を勧めればいい。早口なので日本人にはスイに聞こえる。スイと言えば通じる。「好きなように、少しずつ飲んでもいい」ということである。

酒の強い中国人の場合、こちらが酒に弱いとわかると必ず「スイではダメ、乾杯だ」と実に嬉しそうな顔をして迫ってくる。

「何だお前は。酒が弱いのか。だらしがない」「俺はいくらでも飲めるぞ」と勝ち誇ったよう

な顔なのだ。

そんなときは「あなたにはかなわない」「俺の負けだ」といった口惜《くや》しそうな顔をして、「乾杯じゃない。スイだ」と突っ張ればいい。

すると、「しょうがない。認めるか」となるのだ。

酒の弱い人は弱いなりに、相手と酒を酌み交わしながら、戯《たわむ》れられる。

最初から最後までスイで通しては、これまたつまらないので、雰囲気をみて適度に乾杯し、楽しめばいいのである。

「ぼくは強くないが、あなたと乾杯を一度もしないで別れるのも心残りだ」

「一度だけだよ。乾杯」

とやればいい。

その後にまた「乾杯」攻勢に見舞われるかもしれないが、前よりはずっと逃げやすいはずだ。

要はこれを気楽にやることが大事だ。

しかし、

「スイではダメ」

乾杯乾杯乾杯ーっ
スイ…っていってるのに

とあくまで引かない、しつこい連中もなかにはいる。主賓《しゅひん》にされ、みんなが興に乗っているときなどは、いやだと言い張れば座がしらけてしまう。

そういう場合に備えるには、困ったときの代打をあらかじめ用意しておくのだ。

宴席に同行する同僚や部下の中には一人くらい酒が好きで強い者がいるものだ。

「オレが困ったときは、お前に振るから、乾杯を引き受けろよ」と因果《いんが》を含めておく。

乾杯攻勢をかわしたくなったら、

「わが同僚が飲みたくてウズウズしている。ところが遠慮して飲んでいない」

「彼に乾杯してあげてくれないか」

と頼むのだ。こうすれば、必ず、攻勢のホコ先は、彼に向かう。

乾杯を引き受けた者は、ただ、ニコニコ嬉しそうな顔をして乾杯に応じる。

これで、相手からの攻勢を大分防げる。

彼らは、酒に強い。たくさん飲みたいのだ。

次に全く酒が飲めない人の場合。

最初のセレモニーの乾杯は、盃を手にし、一応、乾杯と唱和《しょうわ》し、なめる程度で、盃を置く。

それから先は酒以外のソフトドリンクを飲めばいい。

そんなとき、必ずといっていいほど「なぜ酒を飲まないのか」とまわりから聞かれるはずだ。正直に自分は酒が飲めないことを説明すればいい。酒の飲めない人に強要することはまずない。

ただし、ここで大切なことは、一滴たりとも飲まないことだ。

ある宴席では飲み、ある宴席では飲めないといったことは決してしてはならない。信用を失うだけだ。

ジュース片手に、乾杯をし、相手に酒を勧めてもいっこうにかまわない。乾杯とは、「どうぞ、盃を手にして、お酒を楽しんでください」という意思表示なのだから。

もちろん、相手の中国人の中には、体質的に酒が飲めない人もいる。飲んべえだったが、体をこわして禁酒している人もいる。お年を召して過度にならぬよう節酒している人もいる。

宴《うたげ》が始まれば、飲まない人、飲めない人が誰かはすぐわかる。

ここで注意しておくが、健康上の理由で飲まない人には、決して酒を無理強いしないことだ。

宴の趣旨に反する結果を招きかねない。

二次会はシャル・ウィ・ダンス？

宴会後の二次会――昔の日本なら、三次会程度のハシゴは当たり前だった。それも八〇年代の経済の低成長時代、九〇年代のバブル崩壊《ほうかい》を経て、すっかり影をひそめてしまった。

しかし、中国では「もう一軒行くか」ということが、たびたびある。

誘われたら「行こう、行こう」と付き合うことを勧める。誘われなくても、誘ってみたらいい。きっと面白い。

本や雑誌で読んだり、人に聞いたって、中国の社会は、そうそう理解はできない。探検しながら大いに楽しむことだ。

相手とのつながりもより深まる。

ある国有企業の局長さんに案内され、工場の視察《しさつ》に地方出張したときのことだ。

現地の幹部たちと酒盛りになり、ドンチャン騒ぎをした。お開きの間際《まぎわ》、局長が「これから、二次会に案内する」と言いだした。有無を言わせぬ強い意志が感じられたので「行きましよう」と相手の誘いに乗った。

外に出ると真《ま》っ暗闇《くらやみ》。田舎町、電力も不足。いったいどこへ行くのやら。

すると、ピンク、グリーンにパープルのどぎついネオンの店が現れる。中に入ると、薄暗い大きな部屋。音楽がガンガン鳴り響いている。部屋のまわりにはテーブルが置かれ、女の子が大勢すわっている。ミニスカートの子もいるが、セミロングのフレアスカートを身につけ、いかにも社交ダンスをするといった感じの子も大勢いた。シフォン、オーガンジーのようなフワッとした布地のドレスだ。

真ん中は広いフロア。

すると局長、あるテーブルの前に進み、女の子に声をかけた。女の子がスーッと席を立ち、二人は、中央のフロアへ。

開襟《かいきん》シャツとサンダルばきの局長、突然シャキッと背筋を伸ばす。音楽開始。

なんと曲はタンゴ。フロアを独占し、気持ちよさそうに、滑走《かっそう》。終わるやヤンヤの喝采《かっさい》。

すると堰《せき》を切ったように、皆、女の子を誘いフロアへ。酔っ払いが勝手に歌うカラオケをバックに乱舞が始まる。

映画「ラストエンペラー」の最後、皇帝溥儀《ふぎ》がダンスをする場面があった。「中国人はヨーロッパ文化が好きなんだ」「ダンスが好きな民族なのだ」と確認した次第だ。

最近日本では「Shall we ダンス？」という映画がヒットし、ダンス教室が盛況とか。生徒の中心はまだ圧倒的に女性だと聞く。

中国ビジネスに賭《か》けるビジネスマンの皆さん、アフターファイブにダンスを習っておくと、ビジネスに役立つと思うのだが。

得意な日本の歌を中国語で歌えるようにしておく

♪白樺／青空／南風……

♪目を閉じて／何も見えず……

そう、千昌夫の「北国の春」と谷村新司の「昴」だ。

カラオケ好きで、日本人と付き合いのある中国人たちに人気のある曲だ。

天安門事件の批判運動をしたテレサ・テン、彼女の歌も中国人は好きだ。「つぐない」を中国語で歌いでもしたら、相手はまず驚く。かつ、喜ぶだろう。

現に、北京、上海《シャンハイ》、広州《こうしゅう》など、ちょっとした大都市で日本人も行くカラオケ屋に行けば、こうした日本の曲のディスクが用意されている。

日本語字幕もあれば、中国語字幕のものもある。また、韓国の歌も結構ある。

だから、カラオケの好きな人は、〝歌〟を大いに活用して、取引先との親交を深めることができるのだ。

どこにカラオケ屋があるのか。どこのカラオケ屋に日本の曲があるのか。どれくらいの曲数が置いてあるのか。一度、じっくり調査してみる価値はある。

取引先の誰が、歌好きなのか、どんな歌を歌うのか。相手を誘ってみてはどうか。

そして、日本の昔の歌番組ではないが、「タヌキさんチーム」「ウサギさんチーム」に分かれた気分になり、中国人に負けてなるかと大いに歌ったら、ビジネスにも、役に立つに決まっている。

この世界は、日本流のやり方でじゅうぶん。日本にいるつもりで気楽に楽しめばいい。

欲をいえば、日本の歌、テレサ・テンの歌を中国語で歌えるようにしておけば最高だ。

発音が下手だからとかなんとか見栄を張っては損だ。上手に歌えば、中国人は感心するだろう。下手でも中国語で歌ってくれれば、彼らは上手に歌えるよう手伝ってくれる。どちらにしても仲良くなる。

さて、誘われたら、それに付き合うとして、おカネはどっちがもつのか、いったい、いくら

ぐらい用意したものかに悩むかもしれない。

相手に誘われたからといって、相手持ちなどと、野暮《やぼ》なことはやめたい。日本に比べたら安い。よほど高い店ならともかく、「こんなに安いのか」と思うだろう。

うまく商売をしたいと思って行くのだから、交際費と割り切って、鷹揚《おうよう》に構えて行くべきだ。

もちろん、勘定するときに相手が、

「お前を接待するのだから、心配するな」と言ってくれれば、

「謝謝」と礼を言えばいいだけの話だ。

金額が気になるなら、相手の中国人に店の相場を聞いたらいい。カードが使えるかどうかも確かめておけば、安心だろう。

最後に、注意を一つ。二次会を大いに勧め、ワンダーランドの探検をしてみてはと書いてきたが、見ず知らずの土地で、それも一見《いちげん》の客で飛び込むのだけは慎《つつし》んだほうがいい。

上海の夜の街を歩いていたとき、地元の事情に詳しい中国の友人に、

「この店で日本人の客が一人十数万円もとられたんだって」

「身ぐるみ剝《は》がされ、あげくのはてに殴られた人もいるよ」

と教えられたことがある。こんな話も聞いた。

「この間、ひどい目にあったよ。客で来ている女の子に、チップをとられちゃった」

「話し相手になってあげたんだから、チップちょうだいとくるんだよ」

「いくらあげたんだい」

　と聞くと、

「二万円とられた……」

「馬鹿なヤツだ」と思ったが、油断していると、この手のたぐいに引っかかる。

　北京とか上海で夜、繁華街を歩いていると流暢《りゅうちょう》な日本語で、

「そこの店に今から歌いに行くの。行きません？」

　と誘いをかける女の子に出くわすことがある。

　そんな子に付き合うと、飲み代を払わされるだけでなく、高額なチップまでとられる羽目になる。ご用心。

　日本でも場所によっては、危険な夜の繁華街はいくらでもある。事情を話せばすぐにわかってくれる信頼のおける警察があるからまだしも、中国では、そうはいかない。

　身の安全にはくれぐれも注意を払い、慎重に行動すべきだ。ケガをしたり、大事なおカネをとられ、その処理に追われたらビジネスどころではなくなってしまう。

お土産《みやげ》は質より数に気をつかえ。招かれた宴《うたげ》こそお土産を

「何をお土産《みやげ》にしたらいいのですか」「いくつぐらいもっていけばいいですか」――一緒に中国に行くビジネスマンから、必ずといってよいほどきかれる。

「うちの販売促進用の社名の入ったモノでは、失礼ですかね」「いくらぐらいのものを買ったらいいでしょうか」――本当に涙ぐましいほど皆さん気を遣う。

こういうとき、私はこう言うことに決めている。

「見栄など張る必要は全く無し」と。

実際のところ、中国側の人たちが、お土産やプレゼントについて、「なんだこんなものくれて」などと言ったのを聞いたためしがない。

社名の入った販売促進用のボールペンや、ネクタイピンなどでも「実は、これは、お客様用のものですが、使い勝手がとてもいいんですよ」とひと言添えれば、「ほう、そうですか、どれどれ」と中国の人は贈り手の気持ちを素直に喜んでくれる。

われわれにとって別段手に入れるのに不自由しないものでも、中国の人には珍しいこともあ

お土産とは
わい
販促用のボールペンでもよい
ただし数が足りないのはダメ
わい
○×株式会社

る。

たとえばボールペン。日本でも昔はよくあったが、使っているうちに、ペン先のボールの回りにインクがたまり、書く前に拭き取ったりした。途中でインク切れになった覚えもあるだろう。

中国の製造技術はまだまだ遅れている。品質面で日本のものが貴重なことだってあるのだ。

もちろん、相手によっては贈り物に細心の注意を払わなくてはいけない。

地位の高い人、相当お世話になった人、これからいろいろ世話になりたいと期待している人等々、ある種の特別な人に対しては、工夫があれば、それに越したことはない。

初めて中国を訪問し、ある地方政府の省長と面会することになった社長から、

「お土産に悩んでいるんだ」

と打ち明けられた。同行の部下たちも思案投げ首。

「日本らしい、日本人形とか、今は暑いから高級な京扇子とかはどうかな」

「テレビとかパソコンをもっていったってしょうがないしな」

――とにかく、品物の候補をいくらあげてもピンとこないのだ。

「趣味を調べて、それに合った何かを選べばいいじゃないですか」

と言うと、
「調べてもらえます？」
と社長。

省長と家族付き合いをしている人に聞くと、世界のいろいろな工芸品を集めているという。そこで、水晶を加工した動物の小さな置物でも贈ったらどうかと提案した。

社長が省長に贈り物をしたとき、省長は嬉しそうに手にした。自分の好きなものに関心をもってくれたことを喜んだのだ。プレゼントの〝心〟を大切にすれば、悩むことなどない。むしろ気をつけておかなければいけないのは〝数〟だ。

会議には何人ぐらいの人が出席するのか、宴会をやるとしたら何人くらいが出てくるのか、どんな立場の人間が出てくるのか――こういった情報を事前に摑むことだ。

現実には、この把握はなかなかむずかしい。予想外に増えるケースが多々ある。ある人にはあげて、ある人にはあげないというようにならないように少し多めに持っていけば、安心だろう。

さて、次は渡し方。

一番いいのは、先方を招いた席のお開き間《ま》際《ぎわ》、もしくは帰り際。一人一人に渡すのがいい。

時間の関係で相手を招く席が設けられず、先方の招待に応ずる宴席しかなかったのなら、その席の終わりに一言お礼の挨拶をするときに、お土産を用意したことを伝え、一人一人に渡したらいい。

昼間の会議に出ていた重要人物が、必ずしも、夜の宴席に出られるとは限らない。この点を、会議が終わる前にきちんと確認をしておくべきだ。会議が終わったときに、用意した品を渡すのだ。

日本の中華料理はどんなに高級でも中国人の口には合わない

さて、これまでは日本人が中国にビジネスに行ったときのことを書いた。今度は逆に、舞台が日本に移ったときのことを書いてみる。

中国から取引先の方々が来たとき、どのようにもてなすか。ほとんどの責任者が頭を痛めるのが、まず食事である。宴席を設けるにあたり、何を召し上がってもらったら喜ばれるのか。

多くの日本人は中華料理でもてなせば喜んでもらえるに違いないと思っている。私の主観と経験から言えば、これは間違い。

「一流の中華料理店はおいしいはず」「おおいに堪能《たんのう》してもらえるはず」——。

だいたい大外《おおはず》れだ。

中国内陸部の西安《シーアン》に住むお客様が来たときのことだ。ある大手企業が大事なお客様ということで、都心の一流ホテルの中華料理店で宴を設定した。

相当値の張るコース料理を頼んでいた。主催者にしてみれば「これだけおカネをかけたのだから」という思いなのだ。確かに日本人の私にはおいしい。

しかし、西安から来た友人の中国人たちは、箸がすすまない。決して「これはおいしい」とは言わない。料理を楽しむというより、酒を飲み、会話をしているという風である。西安で彼らと食事をして騒いでいるだけによくわかる。

「口に合わないでしょ」と内緒で聞いてみると、「うん」とうなずき、目で「これはダメ」という仕草をする。

前にも書いたように、私に言わせれば、日本の中華料理は〝日本料理〟なのだ。材料も油もしょうゆも香辛料もみな違う。

日本の中華料理がおいしくないというのではない。どちらがおいしいかということでもない。違うということなのだ。

だいいち前菜にしても、その後の料理にしても、出てくる品数が圧倒的に違う。中国流の品数を東京のレストランで出させたら、目の玉が飛び出るに違いない。

その夜、私は小料理屋に行き、おにぎりと漬《つ》け物をしこたま買い込み、彼らの部屋に夜食を届けた。皆、おなかがすいていたので「謝謝」と喜んでくれた。

北京の金持ち経営者で香港グルメの男が東京によく来る。香港では、彼は腕のいいコックのいる店を知っているうえ、コックが替わるとそれについて店を変える。

絶対に彼を東京の中華料理店には連れていかない。彼も中華料理を食べたいなどとは言わない。

日本での接待に困ったら「外見が汚くてもおいしい店」に連れていけ

「中華料理がダメなら、ではどうすればいいんですか」と、企業の担当者からよく聞かれる。

これが意外と簡単なのである。

北京の大金持ちのグルメ氏が、商用で東京に来たとき、招いた企業の接待役を申し付けられた部長が、頭を抱えていた。

会社が東京の郊外にあり、近くの駅周辺には何のへんてつもないレストラン、小料理屋しかない。東京都心までお連れするには遠すぎる。数日ホテル詰めで会議をやるので、宿泊を近在のホテル（相当高級）で我慢してもらっただけに、部長の気の遣《つか》いようは大変なのだ。

相談に来た彼がかわいそうなので「私にまかせなさい」と言い、私が計画した。

グルメ氏に、

「ここは郊外で一流の料理屋はない。しかし、味のいい店はある。日本のサラリーマン、大衆の〝味〟を案内するが、どうか」

と提案した。

「それは面白そうだ」

と言う。そこで部長に、

「会社の部課長連が行きつけの寿司屋はないか」

と聞いた。

「ありますけど、汚いし、狭いですよ」

と言う。ビビっているのだ。

「いいから予約して。個室を用意して」

と頼んだ。店が狭くて汚くたって、味が良くて、みんなが行くからいいのだ。

店に着くと確かに狭い。お世辞《せじ》にもきれいとは言えない。しかし立派な寿司屋だ。部屋は狭くて全員でギュウギュウになった。

あぐらのかけない客人には、座ぶとんを二つ折りにして、尻の下にあてがう方法を教え、テーブルの上を酒と刺身の盛り合わせと寿司で埋《う》めた。

翌日の晩。今度は小料理屋。テーブル席を頼んだ。焼き魚、煮魚は店にある品をひと通り出させ、あとは肉じゃが、揚げ出し豆腐等々。前日と同じようにテーブルを料理で埋めた。

日本人のように、品よく一品一品食べるやり方では満足感が出ない。食べ切れないほど並べて、

「好きなものを箸で取って」

と勧めると、ニコニコしながら、腹いっぱい食べ、満足してくれた。

香港では、一時「トロパーティ」がはやったように刺身も食べる。外見が汚い店の中においしい店があることを香港グルメ氏は知っている。

会席料理に辟易《へきえき》している偉い人を、おいしいおでん屋やお好み焼き屋に連れていくと、意外に喜ぶのと同じことなのだ。

焼きザカナー
日本酒ー
中
日

それから一年ほどした頃、彼と北京のレストランで食事をした。

「こんどオフィスを引っ越しました。新しい住所と電話番号です」

と新住所の名刺を差し出した。

「次回北京に来たら必ずオフィスを訪ねてください」

「おいしいレストランに案内します」

と言ってくれる。

「謝謝」と答えたが、外交辞令に対する外交辞令的返事に聞こえたのだろう。彼はニヤニヤしながらこう言うのだ。

「焼きザカナよ、焼きザカナ」

「おいしい日本料理屋がそばにあるんだ」

郊外の日本の居酒屋で知った焼きザカナ。すっかり気に入ってしまい、香港や北京で、日本料理屋によく行き、日本の味を楽しんでいるそうだ。

困ったときの肉料理。食後の果物を忘れずに

ざっくばらんに本音も聞けない、聞いてもはっきり答えてくれない。また、あまりリラックスした大衆的なところに連れていっては、日本側の企業の上司の理解も得られない。現実にこんなケースが多いと思う。そんなときはどうするか。

肉料理に登場願うに限る。

ステーキ。これはあまり勧めない。雰囲気が堅苦しく、話が盛り上がらない。むしろ、すき焼き、しゃぶしゃぶ、韓国の焼肉料理ならまず間違いない。

「せっかく日本にきたのだから、おいしいすき焼きをご馳走する」と提案してみよう。ほとんどの人が喜ぶだろう。

和牛の飼育法は、海外でも高い評価を受け、輸入牛も、和牛に近づいてきたほどだ。中国人も和牛肉は好きだ。

すき焼きが初めてという中国人たちを何人も連れていったが、味についても、皆おいしいと好評だった。

野菜をふんだんに入れ、豆腐も入れ、これでもかというぐらい食べさせてはいかがか。

中国人は、概《がい》して〝生もの〟を嫌うので、肉はよく火を通してあげることだ。また、生卵も嫌う人がいるので、無理強いはしないこと。

しゃぶしゃぶも、ほとんどの中国人は抵抗なく食べる。

昔、満州（中国東北部）で日本人が開発した料理法とも聞いたが、中国にはしゃぶしゃぶの専門店がある。冬になると繁盛《はんじょう》している。

中国のしゃぶしゃぶのタレは、朝鮮人参《ちょうせんにんじん》などの薬草を入れ、なんともいえない独特の味がする。日本のゴマダレ、ポン酢のようにさっぱりはしていない。

しかし、それはそれ、これが日本人の味覚ということで、まず大丈夫だ。野菜をたっぷりとってもらうことだ。すき焼きも同じだが、野菜をとってビタミンを補給してあげないと体調を崩してしまう。

最後が焼肉。北京の朝鮮人の人口がかなり増加している。いきおい、韓国料理店の進出も目立つ。

北京でも、「焼肉を食べよう」と中国人を誘うと「それはいい」とすぐ話がまとまる。

国境はあるが、同じ大陸。歴史的には、朝鮮族も漢民族もグルグル移動していたところ。唐

辛子という同じ香辛料を共有するだけに、食の文化での違和感はないようだ。

最後になったが、デザートには必ず果物を用意したい。中国人は食後の果物が好きだ。

日本の果物のデザートは量が少ない。そして一品だけだ。中国のレストランを経験した人ならすぐわかると思うが、中国では大きな皿にリンゴ、ミカン、スイカ、パイナップル、メロンなどが、全員でたっぷり食べられるように盛られてくる。

どうせ接待するのなら、日本流ではなく、何種類かを特別に注文して、心ゆくまで食後の口直しを楽しんでもらうべきだろう。

体調を崩すこともある。親身になって気を配れ

中国のお客を接待するときに、食事とともにもう一つ大切なことがある。

相手の体調に心配りすることだ。意外と無頓着《むとんじゃく》な方たちが多いが、取引先とうまい人間関係をつくれるかどうかのキーポイントの一つだろう。

特に数日以上滞在する予定が組まれていたのなら、相手の体調の観察を怠ってはならない。異国に来たら、体調に変化が起こるものと考えておいたほうがいい。

こんなことがあった。

酒豪で健啖家《けんたんか》の中国人が、ある宴席で、食事にあまり箸をつけないのだ。いくら勧めても「いやいや、十分いただいている」と言うばかり。おかしいなと思い、連れの中国人にこっそり聞いたら、おなかをこわしているというのだ。

そんなこととは露知らず、あらかじめ決めておいたコース通りに注文してしまった。

彼は、私がアルコール濃度の高い白酒と激辛中華料理でおなかをこわすと、決まって「白酒で消毒すれば大丈夫だよ」と無責任なことを平気で言う。そんな友人などに気をつかうこともないのだが、やはり気の毒だ。

彼らの体調をどう維持させてあげるか。前に書いたように野菜をたくさん食べさせてあげることもいいが、彼らに途中で、お国の家庭料理に限りなく近い中華料理を食べさせてあげることだ。

酒豪の中国人のおなかを治すため、昼食に彼の故郷にあるような、水ギョーザを食べさせた。

飲食街の中にある決して高級とは言いがたい店だが、限りなく中国のものに似て、味の良いギョーザを出す。一品六百円そこそこと値段も安い。

連れていくことに対し、接待をしている日本の企業は「失礼にならないか」と気にしたが、中国人がおいしいと太鼓《たいこ》判《ばん》を押す定評のある店なので「大丈夫」と連れていった。

お目当ての水ギョーザが出るや、パクパク食べる。ついさっきまでの食欲不振はどこへやら、ビールまで飲み始めてしまった。

海外に長期出張して、現地の食事に辟易《へきえき》しているところに、おいしいご飯と味噌汁が出てきたら、日本人ならまず飛びつくだろう。食事のストレスも消え、胃腸も元気になるはずだ。それと同じことだ。

半年後に、酒豪の中国人が今度は中国でホスト役になったときのこと。連れの日本人が風邪と飲み過ぎで、倒れてしまった。すると、

「大丈夫、軍人病院を手配してある。お互い様だよ」

会食が終わっても彼はすぐには引き揚げない。

「薬は飲んだか」

「寒くはないだろうな」

といろいろ気にしてくれる。深夜になっていよいよ帰る頃、

「これ、自宅の電話番号だ。何か困ったら遠慮せず電話をしてくれ。すぐ来る」

と言ってくれた。以前のことを覚えていてくれた。

相手の名は中国名で正しく呼ぶ。日本語読みは失礼

日本人と中国人はともに漢字民族。日本人は学校教育のカリキュラムの中に「漢文」があるほどで、音読み、訓読みで、相当数の漢字を読む。

ところが、中国語と日本語とでは、読み方、発音の仕方はまるでちがう。

にもかかわらず、中国語を話さない日本人は、中国の人の名前を日本語で発音する悪いクセがある。

新聞もテレビも雑誌も、また、学校教育でも中国人の名前、地名を平気で「日本語読み」している。

日本人同士が、お互いに「日本語読み」で意思疎《そ》通《つう》を図るのなら、それはそれでいい。

しかし、相手が中国人だった場合、相手の名前を「日本語読み」で呼ぶのは失礼である。相手が何人《なんぴと》であろうと正しく名を呼ぶことが礼儀であり、エチケットである。

人の名前の呼び方は、この世の中でたった一つのはずである。正しく呼んでこそ相手に敬意

を払っていることが伝わるのである。友情をはぐくむ原点でもある。

私の沼田は、中国語で読むとシャオ・ティエンとなる。シャオ・ティエンと中国の人に言われてもピンとこない。そう呼ばれても別に不愉快にはならない。しかしヌマタさんとカタコトででも呼ばれたら、嬉しい気持ちになる。

親しくしていただいている賈（Ｊｉａ）さんという方がいる。日本社会、日本人を実によく理解していらっしゃる。日本語も、下手な日本人よりお上手である。日本人の中で話をすると、日本人はつい気軽に「賈《カ》さん」と呼んでしまう。決して嫌な顔はされない。

しかし、二人きりのとき「日本語で呼ばれると気分悪くありませんか」と聞いてみた。

しばらくして、こう言われた。

「日本語でお母さんのことを〝かあさん〟とよく言うでしょ」

「賈《カ》さんと呼ばれると、〝かあさん〟と呼ばれるようで変です」

中国人の名刺には必ずといってよいほど、漢字名の読み方が拼音《ピンイン》で書かれている。だから、これで読み方を覚えればよい。

ただし、勝手に読んでも発音が正確にできるかどうかは別。舌の使い方、破裂音等々日本語の発音とはまるで違い、むずかしい。

私は、本人の前で発音し、間違いは、本人に直してもらうことにしている。

相手の名前を正確に発音できない者が、正確に発音しようと一生懸命努力しているとき、相手は、その人間を馬鹿にするだろうか。嫌うだろうか。むしろ好感をもってくれる。

中国名は拼音《ピンイン》表記、その表記を知らないと書類にならない

最初におことわりさせていただきます。中国語の達者な方は、この項はどうかお読みにならないでください。

名前を中国語で呼ぶ習慣が大切なことは書いた。

それと同じだが、地名、住所、ビル名、ホテル名なども、日頃から、中国語で発音できるように、また拼音表記ができるように心がけておくことを、中国語の苦手な方には強調させていただく。

私は北京ではヒルトンホテルを常宿にしている。空港に着くとタクシーを利用してホテルに行く。

乗るや「シー・アール・トゥン・ファンテン」と行き先を告げる。しかし、ここで、百発百

中トラブルが発生する。運転手に通じないのだ。

二人で、わめき合い、結局通じない。しかたがないので、中国語で書いてある地図を見せる。すると「ああ、シー・アール・トゥン」と言い、車を出す。「同じ発音をしているのに（はずなのに）なんてこった」といつも口惜しい思いをする。

これを見ている中国語の達者な友人が「やめなよ、オウム以下の学習能力なんだから」と冷やかすが、悔《くや》しいから最初に地図は絶対出さない。いまにみていろと思うのだ。

中国の外資系ホテル名は、英語の発音に相当する漢字を当て字に使う。そして読み方は中国語の発音となる。だから英語で発音しても通じない。「ヒルトン」というと「シェラトン」に行くといった笑い話さえある。

もう一つ。

中国の友人の会社におカネを振り込んだときのことだ。

彼の会社の名刺の表のコピーとおカネを用意して銀行に行った。振り込み用紙をもらい、ペンを持ち書こうとしたら、「Ｉｎ　Ｅｎｇｌｉｓｈ」、アルファベットで書き込めというのだ。

住所のコピーは中国語。英語表記、拼音表記をどうするかなどわからない。もう一度、オフィスに戻り、名刺を探した。裏に書いてある拼音表記の名刺を持って銀行に行き、ようやく手

続きを終えた。

「世間知らず」と読者の方たちはきっと笑われるかもしれない。そう言われれば、それまでのことだ。

しかし、普段、組織で仕事をしている人の中には、部下に任せっきりでトラブルに無縁の方たちも多いはずだ。

だが、中国ではいつどこで困難に見舞われるかわからない。そこであえて恥を書いた次第である。

第二章　中国人のチャランポランに目くじらたてるな

日本人社員はヒツジ、中国人社員はオオカミ

中国人の心をちゃんと摑むためには、中国人の気質、習慣、文化についても知っておかなければならない。

日本人の目から見たらとんでもないことでも、それが中国人にとっては当たり前のことだったら、対応が全く違うはずだ。叱《しか》らなくてはならないことが起こっても、おのずと対応は違う。感情的な摩擦《まさつ》を避けることができる。

仕事をしていて気がついた点をいくつか紹介したい。

コンサルタント会社の総経理（社長）をしている中国人のFさんと久しぶりに会った。世間話をしていると、

「ところで、とてもいい話があるので、私と手を組んでビジネスをしないか」

とニヤニヤ笑うのだ。

「考えてみなくはないが、何をするの」

と聞いた。

するとＦ社長、

「上海の日本の会社が労務管理で困っている例が結構多い。特に社員の知的水準の高いサービス業がね」

「あなたが、そういう会社を私に紹介し、私がコンサルタントをする。利益は山分け、儲かります」

と言う。

「面白そうだね。もっと詳しく聞かせてよ」

と水を向けてみた。断っておくが、彼も私も一緒にビジネスをしようなどとは思っていない。あくまでも冗談である。

ただ、話の内容は事実だし、彼の話が実に面白かったので、彼の言ったままをご紹介する。

彼はこう言うのだ。

――日本人と中国人とでは、社内規則に対する認識が全く違う。日本人の社員は、社内規則についてほとんど無頓着だ。

中国人は社内規則をじっくり検討し、自分たちの権利を〝最大〟にするための工夫をする。仲間同士で研究し合う。「どこに穴があるか」を、じっくりとね。

日本企業のほうは、大らかなもので、日本の社内規則をもとに、ちょっと変える程度でそのまま中国に持ち込む。そのうえ上海の会社の代表者や労務管理をすべき人たちは、社内規則をふだんから真剣に読んでいやしない。

中国人社員は抜け穴だらけの社内規則を逆手にとって、どんどん権利を行使する。そこで日本企業がはたと困り果てている——と一気にまくしたてる。

そして彼が言うには、

「中国人の私でさえ、社員に泣かされているんだから。本当だよ。これ見せましょう」

と厚さ十センチほどの書類を持ってきた。彼の会社の社内規則である。

なんでこんなに厚いのかと聞いたら、臨時規則を作るたびに差し込んでいったら、五年間でこの厚さになったという。

「こんなにたくさん規則を変えていたのでは、社員との協議に時間を食われ、仕事にならないじゃない」

「大変だね」

と同情した。すると、

「大変じゃないよ。話し合いなんかしないもの」

め〜〜
ぐるるる
ポイ
社員規約
規約なんてー
日本人 社員
どこかに抜け穴ないかな
ここは甘いよ
つっこめーっ
中国人社員

「ぼくは社長だよ。ぼくの作る社内規則を守れないなら、辞めていいよと言えばすむもん」

これには正直びっくりした。しかし、日本企業がこれをやったら大変な騒ぎになる。

「だからひと商売やろうよって言っているんだよ」

そしてF社長、最後に一言、

「動物にたとえたら、日本人の社員はヒツジ。中国人はオオカミだよ」

と言う。

具体的に、どんな目にあったのかを次にご紹介しよう。

油断すると生理休暇続出、毎日がなんらかの祝祭日

「残業の規則がまず大事だよ」と口を切る。

日本企業にはすでに知られた話なので、時間外管理についてはきめ細かい対策がなされていると思うが、「なんといっても中国の労働法では残業賃金は昼間の三倍。きめ細かく対策をやってやり過ぎることはない」とも言う。

「残業後のタクシー使用だって注意しないといけない」と言う。F社長は仕事が忙しいとき

に、夜の九時三十分以降のタクシー使用を認めた。

　すると、

「みんなしてタクシーの領収書を持ってきた。びっくりした」

「変だなと思ってタイムカードで退社時間をチェックしたら、ほとんど九時半前に帰っている。仕事のあと飲みに行って使ったらしい。まいったよ」

　と苦笑する。

　女性の生理休暇を認めたときも大変だったとか。生理休暇をとった十日後ぐらいに、また休む女子社員が続出したそうだ。

　Ｆ社長、どうみてもおかしいと思い調べたら、案の定ズル休みだったという。

　そこで彼は「前月の生理休暇日の前後一週間内ならこれを認める」という苦肉の臨時規則を定め、ただちに実行したとか。

　日本企業でこのような細かいところまで定めているところが果たしてあるだろうか。

「最後にもう一つ教えてあげるよ。祭日の休暇規定だよ」

　中国には春節をはじめ祭日がたくさんある。ただ、国の定める〝祭日〟としておいたら、休日がやたらと増えるという。

共産党員なら七月一日は建党記念日、八月一日は建軍記念日、〇月〇日は〇〇……次から次へと出てくる。「祭日の名前をきちんと書き込むこと。これが重要だ」と。

さて、ここで中国人社員をずる賢いと思うか、それとも権利意識のはっきりした国民性と考えるかが、経営をうまくやれるかどうかの分岐《ぶんき》点《てん》になると思う。

日本の社内規定は労使協議で決められ、豊かになる過程で内容が改善され、相互信頼関係の結果と、労使双方が考えている。だから日本のサラリーマンは関心を示さない。

しかし、中国では社員はまだ決して豊かではない。ならば権利を最大限に生かそうとするのは当たり前だろう。それを前提に労を惜しまず契約の観念を明確に再認識し、中国人を雇用することが大切なのだ。

欠けた硯《すずり》を平気で棚に並べる女店員

ある日、北京の百貨店で、清朝時代のデザインを真似た、犬をかたどった硯《すずり》を見つけた。値段も手頃で、気に入ったので、買うことにした。

売り場の女店員を呼んで、「これをください」と言うと、彼女、それを包むため、手にした。

と、そのとたん、手を滑《すべ》らせてしまい、硯はフロアの上に落ち、横の部分が欠けてしまった。あっという間の出来事だった。

売り場の責任者とおぼしき男性店員が飛んできて、女店員に二言、三言注意をした。

しかし、彼女、少しも騒がず、悠然《ゆうぜん》としたもので、ニコニコ顔で何か反論か言い訳をしていた。

同じものはないかと聞くと、彼女「ある。こちらへ」と私を別の場所に案内してくれた。

「これではどうだ」と示された品は、似ても似つかないデザイン。「ちがう。いらない」と断った。

それにしても、惜しいなと、また、元の場所へ戻って、犬の硯を手にとって、ながめた。少し欠けていても、値切って買おうかと迷いもした。しかし、欠けたものは、やはりいやだ。これも縁がなかったと思い、今回は、あきらめることにした。

すると彼女、硯を手に取るや、元の展示してあった場所に、見栄えのいいように置き直す。

「欠陥商品をまた売る気か」「商道徳ってものはないのか」と心の内で思わず叫んだ。

次の話は、似たような経験をされた方も多いと思う。

あるレストランで、野菜炒めの料理を二品注文した。

別の料理が次々と運ばれ、野菜炒めも出た。ところが残りの一品が待てど暮らせど出てこない。注文した小姐《シャオジエ》を呼んで、「まだですか」と催促《さいそく》した。

無愛想な表情で無言で厨房《ちゅうぼう》に引き返した。しばらくしてからデザートが出終わった後に何事もなかったかのような顔で料理を運んできた。

「忘れて申し訳ありません」でも、「遅れてすみません」でもない。

同じような料理を二品注文するのが、そもそも中華料理の場合、作法に外れている。厨房の料理人が一方を作らないケースがよくある。注文をしても厨房が通さないのだ。そんなケースだったのだろうと、善意に解釈してはいたが、なにか〝いやいや〟仕事している態度が不愉快このうえなく、せっかくの食事が興ざめしてしまった。

無愛想な女店員のことは有名だが、また新たに中国人のいやな姿をみてしまった。

これが中国人の本質なのか。それとも、教育されていないだけのことなのか。

上海の百貨店では、女店員の接客態度に対する教育がなされ、気持ちよく買い物ができるようになってきた。これを思えば、答えは明らかである。

北京では一流の百貨店とはいえ、教育が行き届いていない。また、壊《こわ》れた欠陥商品をどう処理するかのシステムもないのだと思った。

友人の中国人の経営者や経済団体の人たちは、民営企業の近代化に日夜腐心《ふしん》している。近代化のための教育も全国規模で取り組んでいる。

「しょうのない連中」と思わず、「心ある中国人は同じ思いで、教育に取り組んでいる」と気を長くもって理解していこうではないか。

会議の最中、タバコが飛んでくる

愛煙家受難の昨今だが、中国でも大都市では「禁煙」の場所が増えてきた。吸うにせよ、吸わないにせよ、タバコのマナー、効用にも心したほうがよい。

上海空港のタクシー乗り場でのことだ。

連れの日本人に「くれぐれもタバコは吸わないように」「吸ってもいいが、吸いがらは決して路上に捨てないように。罰金をとられるからね」と注意しておいた。

「わかった、わかった」と言った友人、舌の根の乾かぬうちに、つい吸いがらを路上にポイと捨て、足で火をもみ消した。

すると、どこにいたのか、オバサンが突然でてきて「ここで捨ててはダメだ。罰金だ」と大

変な剣幕《けんまく》で非難。

わが友人、しぶしぶ罰金を払い、「シンガポール並みだ」とぼやくことぼやくこと。

会議の相手がヘビースモーカーなので、当然、タバコはＯＫと思い、火をつけたのはいいものの、灰皿がどこにもない。ふっと壁に目をやると「禁煙」のハリ紙。あわてて火を消すドジなこともした。

役所や企業の会議室は、急激に「禁煙化」が進んでいる。個人的主観で言わせてもらうなら、日本より進んでいる。タバコなしの会議という前提で考えておいたほうがいいかもしれない。

もっとも、地方へ行くと話は別。タバコについては、まだまだ寛大である。

それどころか、会議中に、中国流のタバコの接待を受けることだってある。

ある国有企業の地方工場に行ったときのことだ。

工場長を中心にして、十数人がテーブルを囲む会議だった。自由にタバコを吸いながら会議が進むうち、いちばん端《はし》の男が、タバコを一本とりだし、私に、欲しいか、どうだ吸わないかと目くばせをする。

禁煙でない
会議での
タバコの
マナーとは…
????

意味がわからず、いぶかしそうな顔をしたら、リストを利かせて〝ピョーン〟と実に器用にタバコを放ってきた。

上司の工場長が話をしている最中だ。それも工場長の顔の前を通って飛んでくる。

「なんて行儀の悪い」「工場長に怒られるぞ」と思ったのだが、これは日本人の私の勝手な思い込みだった。

中国では、上司はこれを見て「お客様によく尽くしている。よくやっている」と部下を評価するそうだ。日本でも、ついちょっと前までは、タバコを一本頭だけ箱から出して「どう？吸わない」と勧める光景がよく見られた。

会議や会食のとき、タバコを上手に勧めることも、ビジネスを円滑にする人間関係づくりに役立つ。

ただ、せっかくタバコを社交に使うのなら、日本のタバコはあまり歓迎されないと心得ておくといい。

というのは、中国人の吸っているタバコはだいたいが辛い。最近の日本では、どちらかというとマイルドな軽いタバコが流行だが、それを勧めても、煙を吸っているだけで、彼らにはちっともおいしくないそうだ。日本のものをなんとしても吸わせたいと思うなら、ピースかハイ

ライトがいいのではないか。

中国のタバコでも好意は通じる。

社長も女、部下の幹部も女

中国国務院の有力セクション傘下《さんか》の某社を訪ねたときのことだ。

約束をしていた総経理（社長）が、部下の幹部二人を連れて応接室に現れた。自己紹介をし名刺を交換してテーブルについた。

雑談の後、いよいよ本題に入ったのだが、同行した日本の某社の部長、なんとなくいつもと様子が違う。どことなく身が入らない風情《ふぜい》だ。

どうしてか私にはすぐわかった。総経理と部下がいずれも女性であることが原因なのだ。相手の会社に軽くみられているという気がしてしまうらしい。

会議の後に昼食をとる予定だったので、食事の直前に、この部長に、

「総経理は優秀な人で、ご主人も有力者ですよ」

「中国の女性は仕事をもっているのが普通です」

と説明したのだが、それでも、

「董事長《とうじちょう》（会長）は男だろう」

と、男じゃないことへのこだわりが消えない。

どこの社会も同じ。有力者の夫人は、亭主と変わらぬ実力者と思ったらいい。


こんなこともあった。某省政府の省長に協力してもらいたいことがあったとき、北京のある会社の副総経理をしている友人の女性に力を貸してもらったことがある。

彼女は小さい頃から省長と家族付き合いをし、かわいがられた女性である。人治の国、中国では、こういう人が〝実力〟をもっている。だからこそ、彼女に助力を求めたのだ。

ところが、一緒に連れていった日本の会社の部長は、

「あの女は誰だい」

と言う。事情を説明しても、

「おい、おい、女で大丈夫か……」

と首をかしげる始末だ。

この会社と省長、省政府幹部との話し合いが始まった。お互いに失礼のないようビジネスラ

女子ばかり
ずらっ
……

イクに話が進む。しかし、双方、どことなく腹のさぐり合いのような歯切れの悪さがあって、見ているほうがイライラしてきた。

省長との交渉時間ももうなくなってきた。弱ったなと思っているときだ。彼女が仲をとりもつ発言をした。

「省長、実のところ、○○社は、輸送する手段が不十分のため、採算に合わないと困っている」

「採算上の問題が解決できなくては話にならない」

「当初の予定地にこだわらず、採算の合う代替地《だいたいち》を用意されてはいかがですか」

実に歯切れのいい〝助け船〟を出してくれた。

省長は笑顔で理解を示し、部下の幹部にその場で○○社の意向に沿えるよう、再検討を命じた。

ビジネス感覚にたけた彼女のおかげで省長との話は友好的に終わった。また、省政府から再提案があり、この線でビジネスがまとまった。

相手が女性となると馬鹿にしてかかる男の話を、日本の某省の二十代の女性キャリアにしたところ、

「そんな男たち、珍しくもないわよ」

「ひどい話ならいくらでもあるわよ」

と言う。

「もう課長補佐なので起こらなくなったけど、以前は担当者である私に電話がかかってきたので出ると、〝なんだ女か、男の担当者に替わってくれ〟とよく言われたものよ」

男性でも女性でも優秀な人間は優秀だ。日本は男中心、男優位の社会。女性を締め出しておいて、優秀な女性が出てくると、生意気と決めてかかり、その実力を認めたがらない。

「自分の立場を奪われてしまう」

「自分が負けたら体裁が悪い」

というおそれを無意識のうちに感じてしまうのか、女性ということだけで、排除したがる。だから、中国の実力キャリアウーマンとの間に心理的な壁ができてしまう。男同士のような打ち解《と》けた関係を作るのが苦手でもある。この壁を取り払えれば、幅広い人脈づくりに役立つし、もっと大きな実りが期待できる。

文化の国のはずなのに、造花ＯＫ、中華料理知らず

武漢《ウーハン》市に出張したときのことだ。北京への帰路、漢口《ハンコウ》空港の待合室で、連れの日本人の友人が突然、「植木のレンタル業でもやらないか。儲かりそうだよ」

と言いだした。

「なんで」

と聞くと、

「空港内に植木がたくさん置いてあるし、ホテルなどでも多いから」

と言う。

たしかに多い。

「しかしね、あれは造花。プラスチックだよ」

「売ったらそれでおしまい。商売にならないよ」

と言った。

「造花か。貧しい文化ですね。ないほうがまだいいのに」

と友人は中国をさも馬鹿にしたような顔をした。

それで思い出した。北京の人民大会堂にある五葉《ごよう》の松、あれも本物の松ではない。日中友好に人生を捧げている中国人の古老が、「あーあ……」と嘆じたことがあった。

これに似たようなことを経験した日本のビジネスマンは多いはずだ。しゃれたデザインのヨーロッパの机やグラスと、ただの事務机やコップを区別しない無頓着《むとんじゃく》な中国人。平然とニセ物の美術品を大事にする中国人を見て、「中国人て、なんてセンスがないんだろう」と思われた方はきっと多いことだろう。

食の文化にしてもそう。

中国人だから中華料理を知っていると思ったら大間違いだ。

中華料理には上海料理、四川《しせん》料理、広東料理、潮州《ちょうしゅう》料理などがある。

「今日は、おいしい料理を食べましょう」

と、ある中国人が日本人ビジネスマンを潮州料理屋に招いたときのことだ。

中国人がメニューを選び、次々と出てくる料理を食べて、酒を飲んだ。が、料理が、海鮮を上手に使ったいわゆる潮州料理とは違うのだ。どこのレストランでも出てくるようなメニューの選択なのだ。

変だなとは思ったが、口にしないで黙っていた。しかし、私の顔が怪訝《けげん》そうに映ったのか、同行した別の中国人が、

「文句を言っちゃダメですよ」

と注意してくれた。そして一言。

「中華料理について、きちんとした知識をもっている中国人は少ないんですよ」

と恥ずかしそうに教えてくれた。

しかし、「待て」。これをもって、中国の文化程度が低いと思ってもらいたくもないし、思ってしまっては、誤る。ビジネスでも失敗する。

なぜそうなのかを理解しておく必要がある。それを知っているだけでも、中国人との対人関係は、ずいぶんと違うのだ。

中国は独立後、建国の共産革命の中で、知識人、文化人を攻撃、排除し、農民の力を動員した。文化大革命も、十分な教育もされておらず、文化的素養のない若い紅衛兵を動員した。

新しい国の建設に知識人の役割は欠かせないと考えた周恩来は、知識人の保護に奔走《ほんそう》したが、守りきれなかった。これが、歴史だ。今、中国で、いろいろな分野で指導的な立場にいる人々は、そうした歴史の中で育ってきた。洗練されたセンスで指導することができない。三十

代、四十代の人たちも幼児期、青春期を文革時代に過ごし、文化的雰囲気の中で育ってはいない。むしろ食べるために歯をくいしばって頑張ってきた。文化的ゆとりなどなかったのだ。

しかし、中国人には、伝統文化の血が脈々と流れている。それを前提に一緒に仕事をしてこそ、相互理解が始まり、信頼が生まれる。

会社にきた話でもウマい話なら、自分のものにしてしまう〝個人感覚〟

私の友人の中国人に、こんな面白い男がいる。

「中国人の男は信用しないよ。これ、会社経営のコツね」

――同じ中国人なのに、中国人の男をハナから〝信用〟しない友人。

彼は総経理として、コンサルタント・調査会社を経営している。社員数十人のほとんどが女性。年齢は二十代から三十代前半。大学卒のつぶぞろいで、海外留学経験者も多い。

何度か調査を依頼し、彼女たちと懇意《こんい》になったが、初対面の名刺交換のとき、営業担当部長、○○支社代表……と、権限が大きいのに驚いた。

日本と違い、女性の社会進出は当たり前。彼女たちの仕事ぶりをみても、真剣そのもの。内

容もしっかりしているし、徹夜も平気で、時間は厳守。実に信頼できるのである。私は「女性の社会進出に理解のある男」と彼を評価していたのである。

ところが、本当の理由を聞いてびっくり。男を信用しないがゆえに、女性を活用、それが成功しているというのだ。

なぜ、男は信用できないのか。彼いわく、

「うまい営業の話がくると、彼らは自分の個人的な仕事にしたがる」

「得意先の何人かと親しくなり、個人的に注文がとれると思ったら、彼らは独立して、私の商売敵になる」と。

「その点、女は、裏切らない」

——抜け目のない男だ。

こんな発想は、まず日本人には出てこない。

彼自身も役人時代に培《つちか》った人脈、情報網をフルに活用して、独立した男だ。話には説得力がある。

共産党の幹部候補生や役所の人たち、銀行の幹部たちと話をする機会がたくさんあったが、

いつもビジネスが話題の中心になっていた。面白いのは、本業の話よりも独自のコネクションで得たビジネス情報を、どのように活用し、一攫千金《いっかくせんきん》につなげるかに腐心《ふしん》している点である。

「こんど、どこそこで、こんなプロジェクトがある。出資するなら責任者は友人だ。話をまとめるよ」

「あそこの公司がプラントを買う予定だ。どこか会社知らないか」

「見積もり出すときは、価格に五パーセントのコミッションを上乗せさせておいてくれ」、等々。話が熱を帯び、目がぎらついてくる。聞いていて面白い。

　軍、役所、はては学校まで、あらゆる組織が本業のほかにどんどんビジネスをするお国柄なのだ。国家公務員、お役人なのに、公務を裏切っているのか、日本人ならそう思うだろう。しかし、中国の場合、軍や役所はたくさんの〝関連会社〟をもっている。いきおい、ビジネス情報も豊富だ。

　役所の肩書をもっていながら、商売に手を出し、コミッションを取ったのでは、それは当然汚職になる。しかし、力のある連中になると「その案件は、うちの親戚《しんせき》の家業にする」といった手口を使う。いずれにしてもきれいなビジネスとして通ってしまう。

　個人にとって、ビジネス情報、人脈は、それ自体が財産なのである。それをどう〝現金化〟

するかが腕の見せ所なのだ。

日本のビジネスマンは終身雇用に慣れ切っている。安定した収入の見返りに、組織への忠誠が求められる。中国人のように、おおらかにやったら、信義則違反、すぐ解雇されてしまう。だから、中国人をなかなか理解できない。きちんとした組織なら安心できるが、個人からの話となると、なにもかも胡《う》散《さん》臭いと思い込みがちになる。だから、いつまでたっても有力な人脈が作れない。

しかし、この個人の人脈の中に入れてこそ、初めてビジネスができるお国柄でもあるのだ。

ウの目タカの目で転職のチャンスを狙う中国の若者

「たいへんなことが起こったよ。A社の社内が大騒ぎになっている」

「B社がA社の有能な若手社員をヘッドハンティングしている。君がB社に言って、やめさせてよ」

友人があわくって電話してきた。

東京のB社を北京のA社に紹介したのは私だ。もしそれが事実なら、私も立場がない。

詳しい事情を聞いた。

Ａ社の某君は、最近すこぶる機嫌がいい。同僚の社員に対し、Ｂ社に行けば、東南アジア旅行もさせてくれる。近く北京に支社を出すので、給料もはずむから来いと言われていると吹《ふい》聴《ちょう》しているという。

おかしい。変な話だ。

私は最近、Ｂ社の社長から、北京に支店を出したものかどうかの相談を受けた。現業部門でも、この問題について検討がされている。だから、あながち、見当はずれの話ではない。しかし、今すぐ北京に支店を出すような問題にもなっていない。現段階で、北京での採用問題など起きようがない。Ｂ社の誰が誘ったのか、某君に聞いてほしいと、友人に頼んだ。

返事は「教えてもらえない」というものだった。

Ａ社との取引を担当しているＢ社の部長に事情を説明し、誰が何を言ったのか調べてほしいと頼んだ。

部長は「まさか……。そんなはずないと思うが」と驚きつつも、調べると約束してくれた。

部下に聞いた結果、そんな話は誰もしていないとの報告が数日後にきた。

困っていると、今度は北京のＡ社から連絡があり、某君は最近、Ｂ社の同年輩の社員とよく

電話でニコニコ話をしているという。同僚が、何の話と聞いても、何も言わないという。

ようやく、見当がついた。

某君と同年輩のＢ社の社員を知っている。中国語を勉強中で、将来、中国ビジネスで活躍したいと志を抱いている。

しかし、付き合っていて、時々、常識に欠けていることを言う。世間常識が今一つ足りない。

調べていくうちに、ようやく、これだ、これが原因だと思われる事実が出てきた。

関係者が、何人かで会食をしている。その宴席で、酒を飲みながら、世間話に、北京に支店を出す話が出たというのだ。Ｂ社の関係者は、某君をヘッドハンティングするような話は一切していないというが、何か、そう思わせるようなことを言ったに違いない。

某君と同年輩のＢ社の若手が、きっと通訳しながら、うかつなことを言ったはずだ。

某君は、Ｂ社の社内事情をよくは知らない。「日本の大会社に入れる」と夢をふくらませてしまったのだ。

酒の席で、一般的な世間話をしていただけと、Ｂ社の関係者は皆言う。

しかし、罪つくりな話だと思う。

お互いに文書の国。メモ、ファクスは保管しておけ

中国人と何か約束ごとをするときは、特に金銭がからむときは、事細かに覚え書きを交わすことを心掛けたらいい。

何から何まで、いちいち文書を交わしたのでは煩雑《はんざつ》きわまりないので、それは常識の範囲内でのことだが、日本人相手ではないことを、いつも意識したほうがいい。

ファクスによる仕事のやりとりの資料などについても、大切に保管をしておくとよい。

何かあったときに役立つ。

言語が違う、考え方にも違いがある。「言った」「言わない」や「約束した」「いや、していない」——などといった食い違いは、なるべく避けたいものだ。

そんなやりとりをすること自体が、マイナスだ。たとえ、話がついたとしても、しこりを残す。

「こう書いてあります」——これがいちばんだ。

日本も中国も、文書の国だ。文書を大切に有効活用すべきだろう。

私の経験を紹介する。

日本の企業が中国企業の社員を教育研修するにあたり、その仲介役をしたことがある。例によって契約書を作成した。その中に「工場の生産効率を高めるため、日本側は、技術者数人を派遣し、一週間程度現場研修をする」という一項があった。

契約後、今後の取り組みについて話し合いをしたいということで、日本企業は、工場長経験のある技術者を派遣した。この人は工場長経験者だけあって、自分の専門分野ばかりでなく、財務、販売のことにも通じている。

工場に着くや、相手企業の社長や幹部連中と活発に意見交換し、その足で工場に行き、現場で改善すべき点を入念にチェックして回った。

翌日、再び幹部連と会議をし、改善点について提案した。

そして最後に、

「直すべき点は出尽くしたはずだ。改めて技術者を送り込む必要はないでしょう」

「それより、次はみなさんを日本で研修する予定を早めましょう」

と言ったのだが、ここでトラブル発生。

「いや、技術者にはまた来てもらう」

「契約書では、その約束になっている」

と書類をかざして抗議してくる。

「技術者をよこしても、これ以上の成果はないと思うんだけど」

と日本側技術者はぼやくが、話はまとまらない。結局、書類通り、再度技術陣が行くことになった。

そしてもう一つ。

「日本には会社の幹部や技術者を十人招き研修する」という項目があったのだが、中国側は、上部団体の幹部を中に入れてくれと言い出したのである。

日本に行くという話が中国側の関係者に伝わり、力のある連中が悪のりし、日本行きに便乗しようと謀《はか》ったのだ。

「そんな約束はした覚えはない。書いてない」——と突っぱねた。

第三章　基本は「義理人情」のお国柄——身内扱いされなくては人脈に入れない

人脈作りの第一歩。懲《こ》りずに付き合え、信じて登用《とうよう》しろ

「人脈を作りつつ仕事を進め、仕事をしつつ、人脈を広げる」——これが、中国ビジネスの鉄則と思う。

日本人ビジネスマンは、口をそろえて〝中国はコネの世界だ〟〝人治主義〟と言う。

ところがアタマではわかっていても、体がついていかず、中国社会にうまく入り込めない。それが、日本人ビジネスマンであり、日本企業なのだ。違うだろうか。

中国ビジネスのトラブルを耳にするたびに、

「有力な中国人の助言や支援があれば、こうはならないだろうに」と思わされることが実に多い。では、どうすればいいのだろうか。

ある会社の董事長《とうじちょう》（会長）をしているI氏。初対面のとき、「私は日本人は嫌い。米国人が好き」と言った男だ。なんていやな奴だと気分が悪かった。

あるとき、ちょっとした頼み事をした。「わかりました」と調子のいいことを言っておきながら、ほったらかされたこともあった。

そうこうしているうちに、「こんな話があるので、日本企業を紹介してください」と彼が言ってきた。

過去のことは気にせず、日本企業を紹介し、仲をとりもった。もっとも、この話は途中で、中国の事情でご破算《はさん》になった。

しばらくして、彼はまた頼み事をしてきた。今度も日本企業を紹介してくれというのである。いいよと引き受けてあげた。

しばらくすると彼は、

「私はゴルフをしたいが、ボールが飛ばない。教えてくれないか」

と言う。そこで北京の練習場で特訓をしてあげた。今では、

「先生、上達したよ」

とニコニコ顔である。

それ以降は、お互いに情報を交換し合っている。

最近では、

「誰それは昔、この人に支持されて偉くなった。だからこの人に頼めば動く」

「彼に実力があるのは、誰それにかわいがられているから」

――次々と人脈情報を教えてくれる。

以前とは様変わりである。お互いに、民族は違っても、数多く付き合っているうちに、打ち解けてくるものだ。難しいかもしれないが、難しいと思い込まずに、付き合ってみるものだ。

しかし、I氏は、仲良くなった私にさえ、

「中国人は日本人に本音を言わないよ」

と、「オレはオマエにまだ心を開いたわけじゃないよ」と言わんばかりの意地の悪いことを言うのだ。

本当の仲間にはなっていないからだ――私はそう思っている。

しかし、そんな彼だが、

「中国人のビジネスは、中国人に聞かなければ、うまくいかないよ」

と親身になって本質を突いた助言をしてくれる。

日本で成功した外国企業の共通点は何か。

答えは簡単。優秀な日本人を採用し、彼らに経営をまかせたからだ。理由はこれに尽きる。

日本IBMをはじめ、そんな例はいくらでもある。青い目の外国人が、陣頭指揮をとって動き回る姿はまず見かけない。資本の論理で権限はガッチリ握って目は光らせる。しかし、経営

の目的、課題をはっきりさせたうえで、能力給の契約に基づいて、権限を日本人に渡している。

日本人スタッフが成績を上げれば、日本の会社では信じられない報酬《ほうしゅう》を与える。そのかわり、逆に失敗すればクビである。どこの会社にいっても、横文字が日本企業に比べて多いこと、社内のレイアウトが外国的という点を除けば日本の企業となんら変わらない。

青い目の外国人にとって、日本は理解しにくい。特に商習慣やビジネスの仕組みにいたっては、不可解そのもの。複雑な流通ルートについては、いくら説明しても理解できないようで、貿易摩擦《まさつ》さえ引き起こす。

しかし、日本人にとって日本は、特殊な国ではない。民族の気質も、日本独特の社会習慣も、何一つ〝異質〟なものはない。当たり前だ。だから、外国企業の狙いを知ったうえで、日本社会に適応できるように、工夫をこらすことができるのだ。それが成功をもたらす。

日本人が、中国人、中国社会をなかなか理解できないということは、日本における青い目の外国人と同じことなのである。

中国における欧米企業は、日本で成功したやり方をそのまま踏襲《とうしゅう》している。

仕事はヒトがするのであり、人間関係がきわめて大切なことは論をまたない。日本でも、仕

事のできる人は人間関係に通じている。人脈も広い。顔のきく人間、情報をたっぷり持っている人間にはかなわない。中国の場合、日本以上に、これが重要なのだと肝《きも》に銘《めい》ずるべきと思う。

元大臣、元外交官、日本で著名でも何の力もなし

最近のこと、ある有名な大会社の幹部に呼ばれた。

何ごとかと思ってその幹部のところを訪ねたところ、

「実は、中国である業務をしたいのだが、どうにもうまくいかない」

「何かいい知恵はないか」

と言われた。

「わかりました」

と返事をし、直ちにこの会社の意向が実現可能なものかどうか調べた。中国でこの会社の希望を認めるかどうかの決定権をもっている本当の実力者は誰か。これが第一の調査事項だ。

その分野に通じている北京の友人に連絡をし、調査を依頼した。

翌日には返事がきた。

回答は、

「本当に力をもっているのは、許認可権をもつ機関のトップではない」

「トップを支える立場にいる某氏が実務をすべて掌握《しょうあく》している」

というものだった。

「彼こそが、キーパーソンだ。彼の理解を得ることだね」

そして、某氏を巡る話をいろいろ教えてもらった。

「彼は、お父さんが実力者だった」

「政府上層部の中には、お父さんに地位を引き上げてもらった恩義がある人が多い。だから彼の発言力は強い」

「頭の良い男で仕事も相当できる。ただ、表舞台に出ると足を引っ張られるから、今はまだじっと静かにしているだけだ」

中国では名実ともにトップの人もいるが、同時にトップとは名ばかりで、そのトップの後ろに真の実力者がいるケースも多いのだ。国務院の首脳が恩義に感じている昔の大物政治家、軍人の有能な子弟が、目立たぬポジションで実力を振るっている。某氏もその一人である。

友人は「その会社の希望は実現可能。必要とあれば手伝ってあげてもいいよ」とも言ってくれた。彼は、キーパーソンの家族と昔から付き合っているともいう。

さっそく、この会社の幹部氏に、このことを伝えた。同時に、時間をかけても実現しない理由に興味があったので、過去のアプローチの実情を聞いてみた。

すると、こうだった。これまでのアプローチのターゲットはこの機関のトップであり、この機関を担当する国務院の幹部であった。また、こうした人たちへの仲介を日本の著名な元外交官や大臣経験者に依頼していたのである。

北京の友人にそのことを話したら、

「その人たち、中国に影響力ないよ」

と笑っていた。

中国は、日本でそれなりの肩書のある人間が訪中した場合、それに見合う立場の人物が応対に出てくる。双方の面子《メンツ》を立てるためだ。

肩書で会ったからといって、仲が良くなるわけではない。まして中国は、日本の政治家、官僚、新聞記者に対しては実に慎重だ。まず本音など決して言わないと考えたほうがいい。

本音で話し合えない人間が間に入ったところで、実りある交渉は期待できまい。

地を出して付き合え。肩書付き会社人間では付き合いにならない

会社勤めをしていた頃と比べてみると、言うこともやることも、はるかに素直になっている自分に気がつくこの頃だ。自然に裸の自分をさらけ出せるようになってきた。

相手にも、このことが自然と伝わるのだろう。

ミラー現象が起きているのだ。構えない、飾らない、そんじょそこらに掃《は》いて捨てるほどいる、ただの大衆の一人になっていることが相手にわかる。すると相手も構えない。それがまた、こちらにも伝わり、気楽に対応できる。

すると互いに、警戒心が消え、気楽に話し始め、こちらの情報量が増える。役に立つ話も入りやすくなる。

日本人の重役には珍しい型破りの人の例を紹介する。

中国でのビジネス経験はほとんどなし。しかし、中国人の相手の会社のお偉方をとりこにした人の話だ。

ある案件の契約を結ぶため、この重役、北京に飛んだ。

例によって宴会が設けられた。相手のトップは奥様同伴となった。

この人、酒の強さには自信があるので調子よく乾杯を重ねた。調子に乗って、相手のトップの夫人とも盃を交わした。

と、突然、顔が青白くなってきた。強烈な白酒《パイチュー》が効いたのだ。気持ちが悪くなったのか手洗いに立った。足もとはフラフラ。

みんなで心配していると、フラフラと部屋に戻るなり、部屋の隅にある長いソファーに〝ダーン〟と倒れ込む。

「ああ……酔った」と声を張り上げるなり、日本の演歌を大声で二、三曲歌い始めたのである。背中とお尻をわれわれに向け意気軒昂《けんこう》に歌うのだ。滅茶苦茶《めちゃくちゃ》である。

ところが中国側は彼を心配していただけに、大丈夫とわかり、ホッとした。そのうえ、この酔いっぷりが気に入り歌を聴きながら大笑いになった。

帰りがけに、トップの奥様が、この重役の足もとが危ないとみて、

「どうぞ、腕を組みましょう。エスコートしましょう」

と腕を差し出した。

「いや……これは光栄です」

「ご主人には申し訳ありませんな」

と破顔一笑《はがんいっしょう》、まるで恋人と手を組むようにニコニコとレストランの外まで。

　別れ際、

「ご主人、私はあなたを日本にお招きしたい」

「奥様を必ずお連れください」

　これで、中国人のトップは彼がすっかり好きになった。

「こんなことをしたら会社の体面に傷がつく」

「相手を怒らせたら仕事に響く。自分の地位も危うくなる」

などと考える気配は全くない。

　ところで、日本人はそもそも階級意識が薄い。親切な民族で、心こまやかである。義理人情を愛する本当に良い民族だと思う。

　それなのに、中国での仕事になったとき、このいい面での〝地〟が出ない。残念なことだと思う。地位で仕事をすることが習い性となっているので、人とも地位で付き合ってしまう。自分と同等、もしくは、それ以上に地位の高い人と付き合うほうが仕事に役立つと考える。確かにそれは一理ある。

しかし、情報の質と量を考えるとこれは誤りだ。

社内人事情報を考えてみよう。権限をもつ上の人間、人事決定権者の口は、総じて堅い。情報をもらしたとバレれば、組織内でマイナスに響くからだ。

しかし、人事をされる下の人間は、その点気楽で、仕事そっちのけで人事情報の収集に走る。これが貴重な情報であることはサラリーマンなら皆知っている。

中国ビジネスの情報だって同じだ。中国人は外国人に本音を決して言わない。ならば本音をどう取るかの努力がいる。

地位、肩書をもつ人々が、人付き合いでは、上下の関係にこだわらず、かみしもを脱ぎ、自分の人間性を素直に相手にさらすことが、その第一歩だ。

苦労をいとわず相手のために何かしてあげられるか

ただ、言っておくが、個人の人脈の中に入り込むというのは、そうそうたやすいことではない。

「中国人から、お前はオレたちのズー・ジー・レンと言われるようになりなさい」

――仲間について話をしているときに、友人にこう助言された。
ズー・ジー・レンを漢字で書くと「自己人」。日本語でいう内輪の人、身内の人である。
こう言われて、改めて意識したのだが、そういえば中国人は、仲間を上手に使って仕事をしていく。

「困ったときの○○さん」ばかりではない。仕事を組み立てていく原点に、「仲間」「自己人《ズージーレン》」があるのだ。

中国は、何しろ広大な国だ。人口も十二億なのか、十三億なのか、正確な統計さえ定かでない。この大きい国で何かしようと思っても、どこから手をつけていいのか、面食らってしまう。

ところが、である。腕っこきの仕事師の連中を何人も見てきたが、彼らの仕事ぶりを見ていると、この国は、そんなに大きくない。むしろ意外と狭い社会だな、と思えてきてしまうから不思議だ。

つい最近も、内陸部の都市に行き、「仲間」のすごさに驚かされたことがある。

ここの地方政府がテコ入れしている企業の技術支援に日本企業を連れていったのだが、夕食の席にこの地方の党書記が来た。もともと党書記が頼んできた話だし、地元にいるのだろうか

ら当たり前だろうと思っていた。

しかし、席につくや、砂漠と草原の中を七時間もかけて車を飛ばしてきたというのには、正直驚いた。

二時間ほどおおいに食べ飲んだら、「さあ、また帰る」という。近所の家に戻るというのではない。またトンボ帰りをするのだ。

私たちは、北京から二時間余り飛行機に乗り、そこから車で三時間かけてここに来た。約五時間、乗り物に座りっぱなしで、いいかげん腰が疲れ、内心うんざりしたのが恥ずかしくなる。

誰か代理を出したところで問題はないのに、体を張って出てきているのだ。

この案件を仲介した、北京在住の中国人は、終始ニコニコしていた。両者とも一銭の得にもならない話なのに、心意気で協力し合っている。

仲介の中国人に、党書記との関係をそれとなく聞いてみた。昔、同じ組織にいて、彼をかわいがり、海外留学させるのに協力したという。その後も彼の仕事を裏から応援しているのだということがわかった。

自己人というのは、日本人が簡単に仲間だ友達だというのとはわけが違う。もっと深い関係

車で 17時間
砂漠
草原
しかも トンボ返り する
自己人《ズージーレン》
苦じゃないよー
車 3時間
飛行機 2時間
長旅〜
よれよれ

なのだ。

人間関係は義理人情、任侠《にんきょう》精神で

「オーイ、○○君」

北京の〝銀座通り〟王府井《ワンフーチン》の再開発地区を歩いていると元気な中国人がわれわれに声をかけてきた。

車が混んでいる路上に高級車を放ったらかしたまま、こっちに来る。他の車に迷惑なことをするなと思ったが、まったくおかまいなし。

同行の友人の古くからの友だちだ。香港で会社を経営している男だ。私も香港で何度か会っている。空港やホテルまで出迎えの車を出してもらったこともある。ベンツを出してもらったときは、さして驚かなかったが、ロールスロイスを自ら運転して来たときはビックリした。

「君たち何やってんだ」「こんなところで会うとは思わなかった。おい今晩、時間はあるか」

――交通渋滞の原因になっていることなど、どこ吹く風。

「友だちの友だちは友だち」――。中国人の世界にも、日本人の世界にも、この関係は共通し

ている。

知人に彼の自己人を紹介されることがある。すると、初対面の私にもまるで昔からの付き合いがあるような気軽さで接してくれる。

もちろん、紹介されたからといって自己人となど呼んではくれない。中国人の中で自己人になるなど〝日暮れて道遠し〟である。

それでも、彼らのなじみの遊び場所にも案内されるし、おおいに遊べとサービス精神も発揮してくれる。仲間同士ということで格好などつけない。人間の地をさらけ出すので、実に面白い。

困ったこと、わからないことが起きたとき、相談すれば彼らは親身になって知恵を貸してくれる。場合によっては、いろいろと便宜《べんぎ》を図ってくれる。

自己人の世界は、昔の日本の任侠の世界に近い。強きをくじき、弱きを助ける、おとこだての世界なのである。

「義をみてせざるは勇なきなり」

「一宿一飯の恩義」

が大切なのである。

「義理がすたれば、この世は闇《やみ》よ」の世界だ。

中国人は合理的な精神以前に面子を重んじる。日本人も重んじるが、その比ではない。

「面子をつぶせば孫の代までたたる」という中国の言葉を日本のビジネスマンはよく知っているが、この世界の話なのだ。

しかし、日本のビジネスマンは、この世界に入らない。入ること自体至難だが入ろうともしない。

中国人は、会社の肩書をひけらかしたり、それを頼りにするような人間を好かない。自分のアイデンティティーが会社であり、ポストであっては、〝侠〟の世界とは相容《あいい》れない。

日本のビジネスマンに何か頼み事をしても、

「そんなことは、自分の仕事ではない。会社に知れては叱られる」

「仕事が忙しくてそこまで手が回らない」――と言われては付き合いにならない。

第一、会社だけが世界という人間などそもそもつまらない。付き合ったって頼りにならないし、退屈だ。この自己人の世界とは無縁なのが今の日本のビジネスマンだ。

しかし、日本人の精神の中には、侠の精神が結構旺盛《おうせい》なはずだ。会社人間の仮面を自らはが

し、伸び伸びと中国人と付き合ったら、それだけで仕事がずっと実りあるものになると思う。会社に叱られても、それが自分の仕事のかけがえのない財産になり、ひいては会社のためになる。

強い！　血の絆《きずな》。「中国系」の外国人が中国で大活躍

中国のある経済特区を旅行したときのことだ。真っ暗闇の中、デコボコ道の高速道路の工事現場で車を走らせていると、同行の友人が、

「あそこを見てみな」と指をさした。想像もしないところに突然、ある米国企業の営業所が現れた。

「ひょっとして、〝例の人〟がこの会社の進出にひと肌脱いだのか」――同行の友人に尋ねた。

「まあね」と友人はニヤリと笑った。

〝例の人〟というのは、その旅行の直前、数日間にわたり仕事で一緒だった三十代の若い米国人コンサルタントだ。国籍は米国だが、実はれっきとした中国人。それも大政治家の血をひい

た中南海《ゾンナンハイ》（北京の政府機関の所在地で昔は要人の居住地）育ちの人物だ。

その人物に会うに当たり、事前に知らされていたのは、それだけ。

いったい、誰の子孫かに興味はあったが、聞くのも不躾《ぶしつけ》なので、いつかむこうから言い出すか、誰かが教えてくれるだろうと、知らん顔をしていた。

ビジネスは中国の大公司《コンス》（大企業）が日本から大型プラントを〝例の人〟の仲介で買い付けるというもので、ぼくが、日本から企業を連れていった。

大型プラントを据《す》え付ける工場の視察に出かけることになり、〝例の人〟が、案内役になったのだが、お付きの一行のぎょうぎょうしいこと。中国の会社幹部と技師長たち数人が〝例の人〟に部下のごとく、従うのだ。

一行全員がマイクロバスに乗るときも、〝例の人〟だけは高級車で移動する。

視察の帰りに、〝例の人〟、犬好きらしくかわいい子犬を買った。段ボールに小さな穴をたくさんあけ、その中に子犬を入れ、汽車に持ち込んだ。

汽車の道中は長いので、寝台席をとり、みな勝手に寝台に横になり、時間を過ごした。しかし、子犬のまわりには必ず誰かが寝ずの番をしているのだ。

「放っておくと盗まれてしまう」

「料理されたら大変なことになる」

一行の某氏が理由を教えてくれた。

そういえば、列車の中で洗濯をしている者もいれば、火を使って料理している客もいた。中国人は、犬を食べるのだった。

下にも置かぬ丁重な扱いを受けるこの人物と、大公司の関係はどうなっているのだろうかと興味があった。これは旅行中にすぐわかった。大公司の最高責任者は、この人物の祖父に仕え、抜擢《ばってき》され出世したのだ。

日本の戦前、財閥《ざいばつ》時代ならいざしらず、現代の日本の大会社組織ではおよそ考えられないことだ。

ここでも「自己人」――中国の仲間社会をかいま見たのだ。

〝例の人〟が別れ際に「あなたは、私が誰かということに興味はないのか」と言うので「関心は大いにある。しかし聞くのは失礼なのであなたが言うのを楽しみに待っている」と答えた。

すると「では、あなたとビジネスを成功させることがあれば、そのときは教えます」「ただ、私のクライアントを一つ教えておきます。○○社です」――と。米国の超ビッグビジネスの名前が出てきた。それが旅行先で見た営業所の会社だ。

結局この商談は技術上の問題で成立しなかったが、一年ほどした頃、〝例の人〟の先祖を知った。有名な政治家だった。正直びっくりした。

その後、北京の高級クラブで偶然再会した。白人相手に酒を飲んでいた。商談をしていたのだろうか。

「あの子犬は元気にしているか」

と話題は犬だったが、別れ際、

「いつか一緒に仕事をしよう」

と言われ、再会を約束した。


それと今一つ別の話。

ある要人に会わせてあげると、中国政府の迎賓館《げいひんかん》、釣魚台《ディアオユイタイ》に連れて行かれたときのことだ。部屋に入ると要人の他にもう一人中国人がいた。実に親しげに談笑していた。

挨拶をし終えると、二人はまた、いかにも親しいと言わんばかりに話を続ける。「芝居がかったことをして」とピーンときた。

案の定、しばらくすると要人は、相手の男の経歴を説明し、会社が香港にあること、政府機

関、ことに、ある部（日本の省）に強いこと等々、ひとわたり紹介してくれた。そして「私は彼を大変信用している。彼を通せば、うまくゆく」と助言してくれたのである。「何かあったら、彼を通しなさい。彼をコンサルタントにするんですよ」と言っているのだな、と理解した。

翌日、その彼と食事をした。次から次へと、これまで面倒を見たビジネスの話が出てくる。みな相手は外国企業。「○○社のときは前金で百万ドルもらい、相手の希望をかなえてあげた」など、とうとうと語る。話半分としても、実に面白く参考になった。

前金でポンと百万ドルを出す企業が、はたして日本にあるのだろうか、この男とその企業の信頼関係が厚いということなのか。

大型プラントの仲介をしようとした大政治家の末裔《まつえい》が出した仕事の条件は日当十万円、成功報酬は買い付け額の一定額というもので、それを聞いたときの日本企業の担当役員の驚いた顔が忘れられない。

いずれにしても、欧米企業は、「これこれのことをしたら、いくら」とドライに割り切り、中国人を縦横に使っているのである。

基本は農業社会。今でも生きる親戚《しんせき》の力

中国は農業社会だ。多くの日本人は北京、上海、武漢《ウーハン》、重慶《チョンチン》、西安《シーアン》などの大都市を見て、これが中国と思うだろう。

しかし、それをもって中国と思ったら大間違いだ。大都市も一歩離れてみれば、もう様相は一変する。農業社会だ。

大都会で中国社会を指導している幹部たちにも、お父さんやおじいさんは農村出身者という人が多い。文化、精神は農業社会のものと思ったほうがよい。中国の農村は同一姓の人たちで構成されている。張《チャン》さんとか劉《リウ》さんとか、まわりはみな同じ姓という村がほとんどだ。日本の農村のように、佐藤さんもいれば田中さんもいる、鈴木さんもいるといった状況とはまるで違う。

血族で共同体が作られているのである。昔からお互いに助け合いながら、生きている。

遠く離れても血族の絆は強い。

周恩来の一生を書いた『長兄』という本を読んでいたら、優秀な子供の周が生活に困ってい

人《じん》脈《みゃく》
故郷の友人
大企業のえらい人(上司)
妻
料理を食べさせてくれる
その上司
他社で活躍してる友人
学校で同級
息子は飲み友達
母の友人
その夫は取引先のエライ人
母
……
名刺と肩書しか武器がない日本人
仕事相手最近は飲み友達
サラリーマン
接待によく使う料理店のシェフ

ると、余力のある親類が彼の面倒を見、大学まで出す大家族制の様子が描かれていた。

改革・開放で経済が発展し始めた現在でも、中国社会は同じ価値観で動いている。それぞれが遠く離れても、誰かが困れば皆で助け合う。豊かな者が一族にいれば、困っている一族の者を助けるのが掟《おきて》でもある。その社会構造のうえに、義理と仲間を大切にする自己人の世界が重なるのである。

共産革命前は、大きな都市には、いろいろな秘密結社があった。現在は法律で禁止されている。しかし、非合法組織で今も活動している秘密結社があるという。

日本も産業が近代化される以前、農業社会の時代には大家族制が生きていた。旅の途中、難《なん》儀《ぎ》する人がいれば、庄屋さんが面倒を見、路銀《ろぎん》を与える社会だった。

法律に守られない、しかし、何をするのも自由という「無縁《むえん》」（虚無僧《こむそう》や遊女など）の人間にも仲間組織があった。

今の中国にしても昔の日本にしても、

「自分だけが豊かならいい」

「自分の家族だけが豊かならいい」

「自分の国だけが豊かならいい」

という考え方は、今のように、はびこってはいなかったのである。

中国ビジネスのうまくゆかない企業の話を聞いていると、みな、近視眼的な利益や業績のことばかりを追い、それが実現できないことを嘆《なげ》いている。うまくゆくわけがないではないか。

自分の情報収集能力、情報に対する認識に疑問をもて

「勉強不足ですよ」

「もっとじっくり中国のこと、中国人のことを調べ、理解してから出ていくべきなんですよ」

日中投資促進機構の某氏は、日本企業が巻き込まれた中国ビジネスのトラブルの原因について、こう指摘していた。

「明らかにタチの悪い連中に引っかかり、裁判で争うべきものもある」

「しかし、中国人、中国社会というものを理解していないため、対応を誤り、相手を怒らせてしまうといった、日本側の理解不足がけっこう多い」

「もっと時間をかけて準備したっていいのに――」

と言うのだ。

明らかに情報不足がたたっているのだ。

情報は空気のようなもので、タダであるという観念、これはもう捨てなくてはダメである。情報コストに対する日本人の無自覚さは言われて久しいが、いっこうに改められない。「ただ」と思い込んでいるから、大切になどしない。

情報は、的確な判断、決断をするためには不可欠なものだ。その収集力に欠けるとしたら、これほどリスキーなことはない。

終身雇用のサラリーマンという〝旗本〟だけで組織を固めている日本企業は、このリスクを放ったらかしにしたまま、惰性で走っているのだ。

情報を集める能力が日本人にないということなのか。決してそうではない。それ以前の問題なのだ。

情報を真剣に集め仕事をする気がないだけの話だろう。中国市場に関心と色気はあっても、中国市場を攻略しようという強烈な意志と気概、そして、慎重さが経営者に欠けているからだ。

経営者に欠けているから、組織にも情報に対する重要さの観念が、根付かない。

「北京の日本人ビジネスマンの、中国情勢の意見は、みんな金太郎アメみたいだよ」

「すごくよく整理されていて、話としてはわかりやすい」

「みんな、わけ知り顔に自信たっぷりなんだけど、たとえば、政治的問題なんかは、あまりの複雑さに、ぼくだって、きれいな説明ができないのにね」

中国の高級幹部やその子孫たちと遊んでいるディープスロートが、皮肉をこめてよくこう言う。

実は、ぼく自身も、北京の日本人ビジネスマンの話を聞いていて、同じことを感じている。なんでこうなるのか。いく人かの北京駐在の友人たちに聞いてみた。答えはいたって簡単。

「情報をもった中国人への取材なんかほとんどしていませんよ」

「仕事の窓口の役人は知ってたって、家族付き合いまではしませんよ」

「日本から来る取引先や本社のお偉方の接待が忙しくてそんな暇ありませんよ」

「本社の首脳連中だって、中国にさして興味があるわけじゃない。無理解な本社を説得する仕事のほうが忙しくて」

確かに、中国にいる社員は、取引先や中国の役所の窓口、取引先商社、銀行などから、せっせと情報を仕入れてはいる。政府発表の情報にも敏感だ。大使館、マスコミ情報にも油断なく目を配っている。日本人会の会合に出ては、日本人会の中国情報を仕入れているそうだ。

しかし、裏を返せば、全世界どこにもある、日本人会という〝ムラ社会〟の井戸端会議の情報が、本社にあがっていると心得ておいたほうがいい。

もっと踏み込んで、はっきり言えば、中国で政策や人事に対し、影響力をもっている要人、それから、要人に対し、政策を提案している官僚たちの本音の部分、さらに、そういう声を聞いている側近連中をカバーしてはいない。

その結果、第一次情報入手が超手薄になり、日本の本社は、二次、三次情報に依存することになるのである。

私は、日本人、日本企業は、一次情報の収集分析にもっと力を入れるべきではないかと思う。

戦前、日本は、朝鮮、中国、インドシナを侵略した。財閥も各地で商圏を拡大した。現代から過去を見れば、過ちは多いが、その過程で、日本人は、異国と異国人を、現代人よりもよりよく理解しようとしていた。

なぜなら、たくさんの日本人の命、特に軍人の命が、常に危険にさらされていたためだ。軍隊の安全をはかる意味でも、また、作戦を効果的に推し進めるうえでも、国情をよりよく理解する作業は欠かせない。

現地人の優秀な人材を活用し、有力者たちによしみを通じ、強力な情報（Ｉｎｔｅｌｌｉｇｅｎｃｅ）志向をしていた。カネも惜しみなく使った。陸軍中野学校がスパイを養成していたが、当時にあっては当たり前のことだ。情報機関が暗躍《あんやく》しなければ、成り立たない世界に生きていたのだ。そうした緊張感は、政府、軍ばかりではなく、民間企業においても共有され、人脈の拡大、情報収集に関するノウハウが引き継がれ、蓄積《ちくせき》されていった。

海外に軍隊を派遣する米国はＣＩＡという情報機関をもち、英国をはじめとした欧州も中国も、それぞれの情報部が、国際舞台の裏で目の色を変えて動いている。政官民が協力し合うビジネスも行われる。

しかし、いまの日本はどうか。敗戦と世代の交代で、そのノウハウは消えたと言っても過言ではあるまい。

日米安保条約で、日本の安全保障は米国依存になった。海外に軍隊を置いていない日本は、アジアの政治、軍事情報の収集と分析に血眼《ちまなこ》になる必要など感じなくなった。そんな体質の中で、「国際業務強化」「アジアシフト」と、目の色変えて、海外展開をしているのが日本企業だ。

もちろん、発展途上国、紛争国についてはどこの会社も「カントリー・リスク」について、

慎重に検討はしている。

ただ、情報量とその質については、絶対的に不足し、劣る。

もちろん、皆が皆そうだなどと言う気はない。中国での仕事一筋に人生をかけ、この道何十年という文字通り中国通のビジネスマンも多い。

しかし、こういう人たちは、○○航空、○○商事、○○製鉄といった大会社が幹事役に名を連ねる日本人会とは、たいして付き合ってはいない。

中国人は、日本人には本音はなかなか言わない。それを前提にして、どう独自の情報を増やすか、その工夫を、今こそ真剣に考えるべきなのだ。

くどいかもしれないが、情報に対する価値観を、もういい加減に変えていくことである。

中国赴任《ふにん》は、欧米行きより価値が低い？

「中国人はカネにうるさすぎる。好きになれないですね」

「制度を市場経済体制に向け変えてはいますが、時間がかかる。なかなか仕事になりませんよ」

北京のホテルで一夜、東京から出張に来た某社の役員OB氏と酒を飲んでいると、北京駐在《ちゅうざい》のOB氏の元部下が、中国経済の大変さを説く。

中国は、大きな成長力は秘めているが、同時に大変な困難を背負っているのは周知の事実。だから、元部下氏の話は、それはそれでいいのだが、話を聞いていると、何から何まで悲観的であり、否定的なのだ。

転勤後、わずか半年。一知《いっち》半解《はんかい》のくせに、いちいち、したり顔にOB氏に説くのには、辟易《へきえき》させられた。

「こいつは北京になにしに来た」

――他人の会社のことながら腹が立ってきた。東京でOB氏に再会した折、

「この間の北京の男はなんですか。やる気ないんですね」

と言ってみた。するとOB氏、

「彼もかわいそうでね」

「ロンドンかブリュッセルを希望していたが、かなわなかったんだよ」と。

官も民もここ数年「アジアの時代」を強調するが、海外人事の重点は、相も変わらぬ欧米偏重の傾向は改まらない。

ＯＢ氏も「中国での実績がまだ小さいからね」とその傾向を認める。

しかし、これが、そもそも、誤りだと思う。もし、中国を今後、将来性のある市場と考えるなら、会社内で将来性ありと認めた幹部候補生、エリートを常に駐在させるべきときが来ているのである。

中国は、これからまだまだ激しく変化する。米国、欧州の企業進出ももっと加速されよう。日本企業の競争相手はますます手強《てごわ》くなるものと考えるべきだ。

また、中国は長老が要職についているから老大国である、などと思っては大まちがいだ。実務は、四十代、五十代前半の若い層に実権が委ねられている。文化大革命の波を受けずに高等教育を受けた世代、米国留学をした若い世代が、どんどん実力を発揮するポジションに就き、仕事をしている。

彼らこそが今の中国を支えているのであり、将来、指導的な立場になるのである。

日本企業は、彼らと互角にわたり合い、信頼と友情をはぐくめるような人材を中国にもう出すべきである。取引量が小さくても、不採算でも、人材を割《さ》くべきだろう。

十年たったら、必ずや会社の人脈という大きな財産に育っているはずだ。

これからの時代、「中国を知り」、「中国に通じている」ということは、単に中国で仕事をす

る、また、中国相手に仕事をすることに役立つということだけではない。

〝国際ビジネスマン〟としての必要条件だろう。世界を相手に、世界を股《また》にかけ仕事をする人材が「中国を知りません」では肩身が狭くなる。

米国のシンクタンクでアジア政策を研究している米国人が私にこう言った。

「日本のことに詳しい日本人には興味はない」

「米国に関心をもっている日本人にも興味などない」

「中国や朝鮮に詳しい日本人なら仲良く付き合いたい」

米国にとって中国は一つの「フロンティア」である。あらゆるパイプを使って、米国は中国に食い込んでいっている。米国企業が政治と手を組んでまで積極果敢《せっきょくかかん》に中国進出しているのも「フロンティア精神」の現れだ。

ドイツ、フランスだって同じだ。

東南アジアも、経済的には華僑経済だ。その世界の中での中国の影響力は大きい。

中国以外の国々でビジネスをするとき「彼は中国勤務をした中国通だよ」と言われることが必ず一目置かれる武器になるはずだ。

思わぬところに人脈と情報が潜《ひそ》んでいる。仕事や肩書では読めないネットワーク

○○会社の○○という肩書社会から離れてみるのも、情報を手に入れるうえで役に立つはずだ。

私は二十三年間勤めた会社を辞めて三年になる。事務所を構えてはいるが、社員は一人。浪人、渡世人みたいなものだ。肩書に対する社会的信用など、もちろんあるわけがない。信用があるどころか、胡散臭く思われるのが関の山だ。

ところが、この社会的肩書のないことが、いい情報を入手するうえで、意外に役立っているから不思議だ。

あるとき、北京で某社の車を運転手付きで一日拝借した。行き先を告げると運転手、近道を通るというので、すべてを任せた。ところが中南海付近の路地に入ると、大渋滞《だいじゅうたい》。太っちょの運転手、汗だくで何回もあやまるのである。

ほんとうに気の良いオジサンで、こちらが気の毒になってしまい、

「私はカネはないけど時間はいくらでもあるから、気にしないでください」

と言ったら、とても喜んでくれ、一日仲良く過ごした。

翌日、また、この運転手のお世話になった。行き先を告げ、車中で同行の人と、これから初めて会う中国側の偉い人の話をしていた。すると突如、運転手、興奮して後部座席を振り返り、こう言うのだ。

「私は、あなた方がこれから会いに行く偉い人に長年、世話になった」

「私は昔、その人のお父さんの運転手だったんだ」

これには、こっちのほうがビックリした。

「じゃあ、あなたは元共産党総書記の運転手さんか」

「そうだ」

と運転手、ますます興奮し、元共産党総書記とその家族が、どんなに素晴らしい人たちかをとうとうと話し出した。

「息子さんも偉くなったが、それでも生活は質素」

「車を使わずに今でも自転車で通勤しているんだ」

これから初めて会う人の日常生活を通した人となりを聞かせてもらった。なかなか知り得ない〝素顔〞を労せずに知った。

先方に着くと、偉い人はすでに玄関の外でわれわれの来るのを待っていてくれた。車を止めるや運転手は昔の恩人のところに飛ぶように走って行き、握手をし、大喜びをする。

この広大な国での〝奇縁〟に双方とも驚き、話し合いも最初から、和気あいあいと進み、仕事はうまくいった。

この話を、運転手を雇っている会社の人にしたところ、

「え……」

と驚いていた。

「彼がそう言っていたのは知っていた」

と言うのだ。しかし、会社の人は誰も、彼を信用しなかったのである。もったいない話である。

中国は大家族主義の国である。使用人といえども、人によっては家族みたいなもので、いろいろと価値ある大切な情報をもっている。あなどるなかれ。

何気《なにげ》ない会話の一部も情報として受けとめよう

ひき続いて運転手の話をもう一つ。軍関係の幹部を紹介されたときのことだ。

仕事を終え、夕食に招かれた。軍、それも酒に滅法《めっぽう》強い北方の人たちが相手。酒に弱いので覚悟を決めて臨んだ。

食事が始まるや予想通り「乾杯《カンペー》」「乾杯」の連続。主賓にされた私は乾杯攻勢の矢面《やおもて》に立たされた。同行した友人たちは、乾杯から逃げるため、

「彼は本当は酒に強いですよ」

「飲みたいのに遠慮しているだけです」

と薄情にも私に乾杯してあげるようにと彼らに画策する始末なのだ。

ところが酔いが回り、調子に乗って、私が逆に軍の人に対し乾杯を仕掛けてしまった。このおふざけで座はおおいに盛り上がったが、ついに気分が悪くなり、席を立ちトイレに行った。

席に戻ると、隣席のくだんの幹部が、ニコニコ笑いながら、

「私のお仕えした周恩来総理も君と同じ苦労をされました」

「では、また乾杯」

まいった。

翌日の朝、私はほとんど死んでいた。夜中におなかをこわし、全然眠れず、朝食もノドを通らない。

飛行場へ送ってくれる車が来た。運転手が、

「きのうの夜は、すごく楽しい宴会だったそうで、運転手仲間で話題になっている」

「最近の日本人には珍しい人で、実に楽しかったとボスが喜んでいた」

と言うのである。紹介者の友人が、

「おい合格、彼は君が気に入ったということだよ」

と言うのだが、私にしてみれば、

「もう勘弁してよ」

という気持ちだった。


一ヵ月後。仕事が進み、再びこの幹部との夕食が決まった。また私を酔いつぶそうと手ぐすね引いて待っている。

日本酒&白酒
私の負け〜〜〜
ふっふっふっふ

私は一計を案じ、日本から高級吟醸酒六本を持って北京に行った。夕食のテーブルにこの酒を置き、幹部が日本酒も好きと聞いたので、今回は日本酒を楽しもうと提案し、まず乾杯。立て続けに四本空け、その後、中国の白酒《パイチュー》に替えた。

誰ももう私に乾杯を強要しない。日本酒と白酒のチャンポンがもたらす悪酔いの怖さを知っているからだ。

「あんたの作戦勝ちだよ」――。

一同大笑いでお開きになった。

この幹部氏、物静かで、目もと涼しく、ニコニコしているが、腹のうちが読めない。

しかし、事前に運転手にこんなことを聞いておかなかったら、一計を実行できなかっただろう。

「いたずらをしても大丈夫である」

「ギャフンと言わせても、キャッキャ喜ぶ茶目っ気がある」

人に聞いて手に入るような情報ではない。

地位の上下にとらわれず、大事な相手の側近で、縁の下の力持ちになっている人たちは貴重な情報源と心得るべきだとつくづく思った。

中国から留学してくる研修生を「宝の持ち腐《ぐさ》れ」にしていないか

私の知り合いの中国人青年Ｋ君。東京の大学に留学し、世界的に有名なある大企業グループの一社に勤務している。酒を飲んだ折、

「嘱託《しょくたく》の身分なんだって。将来が不安だろう、冷たい会社だね」

と同情した。するとＫ君、

「いいんですよ。どうせいつまでもいる気はありませんから」

とサバサバしていた。

「いつ解雇されてもいいように自分の会社を持っていますから」

と。しっかりした男だなと感心すると同時に、

「この某大手企業わかってないな」

と思った。

Ｋ君の父上は、すでに第一線を退き北京で悠々自適の生活をされている。共産党で相当の地位にまでついた方だ。私も大変かわいがっていただいている。高潔にして信義に厚い立派な方

である。第一線を退いたとはいえ、顔は広く大変な政治力、交渉力を持っている。

一方、この企業は、中国でのビジネスに四苦八苦している。高級車を何台も中国側にプレゼントしたという話も聞いていた。それでもちっともうまくいかない。技術力、資本力はあるが、中国の要人の人脈にいっこうに食い込めないのである。

私の目には、この会社、Ｋ君を宝の持ち腐れにしていると映った。

Ｋ君は若いので下っ端である。中国人がゆえに正社員でもない。では高給取りの役員や部長たちはどうだ。高いカネを使って悪戦苦闘すれども、成果を上げられない。といって、たいした責任をとらされるわけでもなく高給を食《は》んでいる。

Ｋ君と酒を飲んだあとしばらくして北京に行った。彼の父上と会ったとき、

「息子がいろいろお世話になったそうで、ありがとう」

「日本で、わからないことが、いろいろあると思いますので、これからもよろしくお願いします」と頭を下げられてしまった。

「私こそ北京では先生に日頃からお世話になっているじゃありませんか」と恐縮してしまったことがある。

もし、ぼくが、Ｋ君の会社の経営者だったら、Ｋ君のもつ父親の政治力という〝無形財産〟

を最大限に活用する。

もし、ビザの関係で正社員にできないのなら、それはそれとして、K君と別途契約する。

「われわれの中国戦略に協力しないか。報酬も相応に支払う」と提案するのだ。

もし話がまとまったら、これまでの仕事の仕方を説明し、なぜうまくいかなかったのか、うまくやるためには、どのようにやったらよいのかを、K君の父上に知恵をかしてもらうようにする。

また、中国は表の肩書だけの人間関係だけではなく、他人にはわからない、「自己人」「自家人」の強力なネットワークがある。その世界に入り込むための作戦まで作ってもらう。

日本で一生懸命頑張っている子供のためなら、父上は、全力投球で作戦をたて、身を挺して、いろいろな根回しをするはずである。

共産党でのオルグ歴、顔のきき方からみても、生半可《なまはんか》な中国担当者など足元にも及ぶまい。

それをする過程で、必ずまた腕っこきの中国人が現れることが予想される。

仕事のやり方の選択肢がどんどん増える。切り口も増える。知識、情報も自然に流れ込んでくる。

しかし、K君の会社、彼の家族のことを知ってか知らずか、いっこうに彼を有効活用しな

い。面白いものだ、日本の会社は。

利益が出ていないのにベンツを買う現地会長

日本企業の中国子会社で董事長（会長）をしている友人の中国人が、

「今度ベンツを買いました。業績が伸びていますから」

と喜色満面で語ってくれたことがある。ところが、親会社の中国担当部では、

「売り上げは増えているが、利益は出ていないのに」

と苦り切っていた。

政府に影響力のある董事長だけに解雇したのでは事業がガタガタになる。五一パーセント以上の出資をし、日本と同じように親会社の威光《いこう》を示せると思っていたのに、とんだ計算違いというわけだ。威光を示そうと思えば思うほど、裏目に出ている。

彼は、常日頃から、東京の親会社風を吹かせる連中に対し怒っている。彼は、それに対する〝あてつけ〟で高級車を会社のカネで買い込んだのだ。

彼は、

「中国でビジネスをするには、腕のいい中国人を使わなければダメだ」

と言うのが口癖だ。

「中国での仕事は外国人には理解できない」

「重要な人間関係がわからないからだ」

この会社は、中国人の彼を雇った点では彼の言うとおり、わかっている会社である。

しかし、

「日本の会社は私に権限を下ろさない。信用してくれない」

「ろくに中国のことを理解していない人間が、知ったかぶって横ヤリを入れる」

不満が次々と出てくるが、いちばん彼が腹を立てているのは、親会社とはいっても、その社員にしか過ぎない担当部の連中が、まるで自分が親会社だ、株主だと言わんばかりの態度をとっていることにあるとか。

つまらないことかもしれないが、根の深い問題なのだ。

日本企業、日本人は、異民族を使うセンスに欠けるのだ。欧米企業といちばん違う点だ。

欧州の歴史は異民族を支配し、異民族に支配されることを繰り返してきた。西欧列強はアジア、アフリカで植民地支配をしてきた。

米国は、移民の国で人種のるつぼでもある。英語という共通語で社会が統合されている。社長のルーツが何民族であるかなどいちいち気にしない。要は、能力があるかないかで決まる。賃金体系は能力給。自分の能力を高く買ってくれるところにどんどん移動する。何民族であろうと使いこなしてしまうのである。

英国外務省。Foreign And Commonwealth Office。コモンウェルスとは、英連邦のことである。植民地を失ってはきたが、独立した諸国を大事にしていますよという意思の表れとも言われる。外交センスも磨かれる。

中国への香港返還をめぐり、英国は中国と火花を散らし、外交駆け引きのしたたかさをいろいろなところで見せた。

その一つが英国支配時代は、議会制民主主義など採用もしなかったのに、返還が決まるや、社会主義体制の中国に対し、政体をより民主的にするように要求したことだ。難色を示す中国に、あくまでも民主化を要求し困らせ、外交駆け引きを有利に運ぼうとする。

英国は時として二枚舌の外交もする。はしなくもその一端をかいま見せたのが俗に「イラクゲート」と言われる、湾岸戦争にからんだ英国政府のスキャンダルだ。英国議会で大問題になった。

八〇年代に入り、英国政府は防衛機器の禁輸を密《ひそ》かに緩《ゆる》め、イラクに対しても武器を輸出。これが、イラクのクウェート侵攻の素地になっていたというのだ。皮肉にも英国の関税当局が暴き、事件が表沙汰になった。湾岸戦争で多国籍軍の一翼を担った英国軍が、自国が供給した武器の脅威《きょうい》にさらされたという皮肉な話でもある。

フランスもドイツも、米国も、そして中国も、みな国際舞台の裏で、ジェームズ・ボンド張りの情報戦をしている。

欧米諸国は防衛産業が主要基《き》幹《かん》産業である。対する日本は民生産業が発展し、国を支えている。武器輸出については、三原則を設け、厳しく規制している。国家安全保障の枠組みもさることながら、この構造が、対外情報収集力の弱さ、分析力の弱さにつながってきているともいえるのだ。

といって何も、日本が防衛産業の分野に力を入れ、欧米と渡り合うべきだなどと言っているのではない。中国でビジネスをする競争相手の中には、こうした世界を手《て》練《れん》手《て》管《くだ》で生きている人間たちがいると、十分承知すべきだと言いたいのだ。

日本は、有史以来、異民族に支配されたことのない希《け》有《う》な国である。

だから、日本人は、異民族を使うことが下手である。そもそも国内で外国人を使う必要がな

かった。隣国の言葉を知らなくても生きていける社会である。言葉ができないから、異民族を無意識のうちに苦手とし、遠ざかる。

入社したら終身雇用。若い頃は給料は安いが、無事定年まで勤めれば、退職金がもらえる。そんな〝ぬるま湯〟の世界とはほど遠い世界なのだ。

ある意味で、ビジネスの文化が、まるで違うのだ。そして日本のビジネス文化は通用しない。

これは冷厳なる事実であり、これを冷徹《れいてつ》なリアリストの眼をもって直視し、仕事を工夫して行うべきなのだ。

断片情報こそ重要。いかに正確に分析するか

ところで話が政治問題になるが、日中間で尖閣《せんかく》諸島を巡る領土問題が再燃し、香港の抗議船の事故が伝えられ、それがきっかけで、香港での愛国運動に火がついたとも新聞報道されていたときのことだ。

中国の軍部と仲の良い中国の友人と酒を飲むうちに、この話題になり、彼が面白い話をし

た。

「日本の新聞は愛国運動なんて書いているけど、全くわかってない。裏があるのさ」

「抗議運動をしている民主派の連中の中には、北京の共産党ににらまれ、返還後は、ただじゃおかないぞと脅《おど》かされている者たちがいるんだよ。そこで、彼らは、ここぞとばかり、北京にゴマをする意味で、抗議運動に力を入れているきらいがある。台湾当局は、その事情を知っているから、彼らに冷たかったんだ」

「それに、台湾で日本への抗議運動をしている連中は、反李登輝《りとうき》派。台湾当局は、いま、日本との間で、事を荒立てたいとは思っていない。だから抗議船の出国を認めなかったんだ」と。

　中国政治のディープスロートの話、実に面白かった。領土問題を巡る断片情報としては貴重だ。

　米国のＣＩＡ（Ｃｅｎｔｒａｌ　Ｉｎｔｅｌｌｉｇｅｎｃｅ　Ａｇｅｎｃｙ、中央情報局）は、こうしたディープスロートの情報を集め分析する名人だ。ＣＩＡは研究者の論文や新聞情報を集めているのではない。

　Ｉｎｔｅｌｌｉｇｅｎｃｅとは、誰と誰がどこで会い、何の話をしたかとか、どこで何が起こったか、その裏では誰がどう動いたかといった「断片情報」そのものだ。

ＣＩＡはこれらの情報収集に惜しみなくカネを使い、その集積情報を分析する能力に長《た》けているのだ。

「情報を集めるために、自由に使えるカネはいくらぐらいもっているの」

経済発展著しく、日本企業の進出が盛んな広東省での支店開設を狙っている某大手銀行の駐在員代表に聞いたことがある。

「いくらかな。そんな費用項目があるわけじゃなし、計算したこともないが……」

「あえて言えば年に二百万円か三百万円くらいというところかな」

さて、二百万円か三百万円という金額だが、ちょっとしたマーケット調査をしたら（といっても、たいした規模にはならないが）、たちどころに使ってしまう。

メーカーが情報を最も頼っている銀行にして、この状態だ。

第四章

通訳の価値を見直せ。通訳をあなどると交渉決裂《けつれつ》を招く

通訳がちゃんと「通訳」しているとはかぎらない

ある中国の役所の局長と日中合弁事業の交渉をしているときのことだ。事業規模をめぐって、ひと悶着《もんちゃく》あった。

その二ヵ月ほど前のことだ。日中初会合の席で、双方がお互いの考え方を披露《ひろう》した。徐々に規模拡大を図りたい慎重な日本側と、一気に大規模に始めなければ成功しないと主張する局長とに意見は分かれた。

ただ、双方、協力し合うことでは意見が一致。規模については、それぞれが再検討し、今後詰めようということになった。

再交渉までの間に、日本側も中国事情がわかり始め、少しは大胆にやるかという雰囲気になった。局長は相変わらずの強気と聞いていたので、交渉前に日本側にこの件を根回しし、局長の考え方に乗ってもいいという了解をとりつけておいた。

さて、談判の段になった。日本側が、順を追って説明、市場の状況と過去の日本での経験則からみて、初年度から一気に実現できるとは思わない。しかし、できるだけ早い時期に、局長

のいう規模にしようと提案した。

局長の顔がみるみる険《けわ》しくなってきた。

「これはまずい、日本側の真意が伝わっていない」

と判断し、ぼくは日本側の提案が局長の考え方と同じである旨を説明した。

ところが、局長の顔色は変わるどころか、マユをつり上げ、

「それでは成功しない。一気に大規模に始めなければだめだ。われわれには、それができる。日本は消極的過ぎる」

と語気を荒らげた。

「おかしいな、何言ってんだ。規模は、局長と同じだろうが……」

と内心、腹が立ってきた。すると、日本語の達者な、中国人の古老が、私の腕を突っついた。

「通訳は、君の言うことをきちんと通訳していないよ」

と。まさかとは思ったが、こちらのニュアンスが伝わっていないのは明らかだ。そこで、発言を短く区切り、ひとつひとつ、ていねいに短い文で何回かに分け、そのつど通訳させた。それで、ようやく局長がニコッとし、握手となった。

終了後、古老が一言、

「通訳を信じてはいけませんよ」

古老によると、

「日本人は正確に伝えようとします。今回は、それがアダとなって、局長には日本側が逃げ腰に映った」

「いったんそう思いこむともう、ほかの言葉が耳に入らなくなるんです」

日本人と中国人のクセ、気質を十分知ったうえでないと、本当の通訳はできないと教えてくれた。日中間の政治交渉で、場数を踏んだ古老ならではの言葉だった。

政治同様、ビジネスにも微妙なニュアンスがある。それがうまく伝わらなくては、誤解が生じる。単なる言葉の通訳ではなく、両者の真意を汲《く》み取った翻訳者なくしては、成功はおぼつかないということだ。

生半可《なまはんか》な英語より上手な通訳を使え

良き通訳、翻訳者をもつことは、人脈をつくるうえでも、仕事を成功させるうえでも、絶対

不可欠の条件である。

「えらい問題が起きました」

「中国のA社が、面子《メンツ》をつぶされたと腹を立てています。感情問題になってしまいました」

「いったい、日本のB社は何を言ったんですか」

中国からの突然の知らせにドキーッ。

B社は会社の知名度を上げるため、製品のシステムをA社に寄付すべく、話を進めていた。

私と、知り合いの中国の会社が仲立ちした案件だ。両社に紹介の労をとり、大筋で合意したので、細目はA、B両社の直接交渉に任せていた。

双方にとっていい話なので、放っておいても話はまとまるものとばかり思っていた。それだけに、トラブル発生の知らせには驚いた。

まずB社に、

「面子を傷つけられたと先方は言っているが、何か思い当たりますか」

と聞いてみた。

「何も思い当たらない」

「むしろ、突然むこうが強硬《きょうこう》な態度になったことが、不思議でならない」

そこで、北京の友人の会社になんで面子を傷つけられたと感じたかを聞いてもらった。

しばらくして返事がきた。

それによると、寄付を受けた製品を転売しないという条件がつき、それに違反した場合には、日本の法律によって訴えることができるという一項目を入れろ、入れないでもめたようなのだ。

A社は転売しないという約束については受け入れたが、日本の法律に準拠《じゅんきょ》する点については、

「こんな不愉快なことはない」と感じているという。

「欧米企業も中国にいろいろ寄付をしている。なにかあったときに準拠する法律は、中国の法律だ」

「それを日本の法律じゃなきゃダメだというのは、傲慢《ごうまん》だ」

「寄付をする者のほうが上位で、受ける者が下になるようにB社は考えているんじゃないか。寄付があったとしても立場は対等のはずだ」

この話を、B社の交渉担当者にした。

「え……。そうなんですか」と絶句。

さて、ここが問題だ。どうして、こういうコミュニケーションギャップが発生したのだろう

か。

A社とB社の担当者は、それぞれ相手側の言葉が通じない。しかし、英語なら会話ができるということで、英語で交渉をしてしまったのだ。しかし、英語ができるといっても、双方、達人の域には遠い。お互いに相手の国民性、気質、それぞれの会社の事情を十分に理解し合っているわけでもない。下手な英語がかえってアダになり、感情的な、面子にかかわる対立に発展してしまったのだ。最悪の交渉パターンだったわけだ。

最後の決着をきちんとつけなくてはいけない。話がこわれようと成立しようと、それが礼儀だ。

B社の担当者に「決着をつけに中国に行こう」と声をかけた。

「行かなきゃいけないの。もうイヤだよ」

「こういう、うまくいかない仕事の尻ぬぐいこそが本当の仕事でしょう。楽にできるなら子どもの使いじゃないですか」

と口説いた。

今度は、日本人と日本の会社の体質をよく理解し、中国人と中国企業に精通した男に通訳を頼んだ。これまでのいきさつ、日本側の事情をこと細かに事前に説明した。できるものなら話

をまとめたい、もしダメなら気持ちよくご破算《はさん》になるようにしてほしいと頼んだ。

　さていよいよ最後の交渉だ。

　相手の中国人は開口一番、

「オレは忙しい。やりくりして出てきたので時間は三十分しかない」

——ニコリともせずこわい顔をし、のっけからケンカ腰なのだ。

　B社の担当者もその態度を見て、

「これで終わりですかね」

　ともう結論を出している。

　通訳の男は、中国側の事情を理解したとことわったうえで、B社の事情を代弁し始めた。制度上の問題、会社内部の事情など、ひとわたり説明した。中国人は、相変わらずの仏頂面。

　そして、この話をまとめるB社の担当者が会社の論理と中国側の強硬姿勢の間で板バサミになって〝小さい〟胸を痛めていることを伝えた。

　すると中国人は初めてニヤリと笑顔をみせた。しばらく雑談になり、通訳の男と中国人のやりとりの中に笑いが増えてきた。

　通訳の男が、日本側のわれわれに、

「今笑ってたのはね。彼も板バサミにあっていたんだって」

「日本側の強硬な理由がよく理解できず、折れるとしたって、上司やまわりの連中にきちんとした説明ができないんだって。それで怒ってたんですよ」

お互い、宮仕えのつらさを理解し、一気に雰囲気がなごんだ。

「もういいから法律の部分は消しちゃおう。そうすれば問題ない」

――中国人が突然提案し、その線で話を進めようということになった。

交渉が終わったら、なんと、二時間もたっていた。なにが〝忙しい〟だよ。

人脈をつくっていくうえで、仕事は大事だ。仕事なしに人脈をつくれといっても、相手は暇《ひま》人《じん》ではない。やはり、仕事をしつつ人脈をつくり、人脈をつくりつつ、仕事を広げざるを得ないのである。

そのときに、双方の〝心の内〟を上手に仲介してくれる人に恵まれるかどうかはきわめて重要なのである。

良き通訳はマナーの教授

「Kさん、少なくて申し訳ないんですけど、これをKさんから皆さんに渡してください」

私は用意した謝礼を通訳をしてくれたKさんに差し出した。

「いや、それはあなたから直接渡してください。そのほうがいい」

中国人のKさんに断られた。Kさんに声をかけてもらい、何人かの中国人に世話になったので、そのお礼をしたかったのだ。

私はKさんが渡せば、中国人に対しKさんの顔も立つのではないかと思ったのだ。

Kさんは、

「それでは私が困るのです。彼らは私が謝礼の一部を抜き取ったと疑います」

「中国ではそういうことが多いのです」

と解説した。予想もしない理由なので驚いたが、そんなものかと合点《がてん》した。

席次を教えてくれたのもKさんである。

「そこに座ってはダメ。こっち」

とKさん。

「いや、そこは上座でしょ。ゲストの席です。私は下座の立場ですから、ここでいいのです」

と遠慮した。

〝わかっていないんだから、しょうのないヤツだ〟といった表情のKさん、私の腕を摑《つか》まえて上座につれていき、座るように指示した。

Kさんにお願いして、ある大きな国有企業の局長たちを紹介してもらうため、私が招いた宴席でのことだ。

「中国では、宴席を設ける人が、日本人の考えるいちばんいい席につき、そのそばに上位のお客を座らせるの」

と。そしてKさんは客の肩書、友人関係を配慮しながら席を決める。

中国流宴会のコツを教授してくれるKさんのおかげで、宴会で失敗したことはない。相手も私を相応に大切にしてくれる。そして喜んで帰ってくれる。

日本人が催《もよお》す宴席くらい日本流でと思う方もいらっしゃるかもしれない。しかし、このあたりの具合というものを心得ている人が、通訳以上の気配りで私を支えてくれるからこそ円滑に物事が運ぶのだ。

Ｋさんは私の通訳ではない。二十歳以上も歳上の方である。親日家で、日本語を学生時代に学び、日本でも長く暮らした方だ。あくまで好意で、ときどき通訳役をしてくれるに過ぎない。

今一つ。あるとき、中国の上層部の人たちと会食したときのことだ。政治の話になり、私はつい調子に乗り、

「日本の政治はだらしがない、○○なんて政治家も……」

とやってしまった。

するとＫさん、私の話を相手に一切伝えない。そのときは、まあいいやと次の話にいってしまった。宴席の後、Ｋさんは私に、

「お国の政治家の悪口など言ってはいけません。身内の恥を他人に言うようなものでしょ」

「聞くほうだって決していい気分ではありませんよ」

と叱られてしまった。大人と子どもの違いである。恥ずかしくて穴があったら入りたいような気分になった。

このように、私は素晴らしい教育役の〝通訳〟に守られていることを、折にふれ感謝しているのである。

単に言葉だけでなく「文化」を通訳できる通訳を選べ

中国ビジネスを展開している大企業は、日本語のわかる中国人を多かれ少なかれ何人か雇用している。これまで、そうした中国人の方々とも付き合わせてもらった。また、中国語の達者な日本人も増やし、それなりに、中国対策に布石《ふせき》を打っている。

しかし、企業の彼らの使い方をみていて、つくづく感じるのは、彼らを〝便利屋〟としてはみているが、戦略的な〝キーパーソン〟としては必ずしも位置付けてはいない点だ。特に中国人社員の場合、待遇が嘱託であるケースが多くみられる。どうして正社員として日本人と同等に迎えないのか。通訳の本当のビジネス上の価値を認識していない表れとしか思えない。

「あなたが日本人なので申し上げにくいのですが……」

――私が信頼している中国人の優秀な女性通訳があるとき、中国人と日本人のコミュニケーションがなぜむずかしいのかという私の質問に対し、遠慮がちに語ってくれた。

「最大の原因は、中国人は日本人のことをずる賢い民族と思っているからです」と。

正直驚いた。

「日本人は正直で人がよく、中国人のほうがしたたかでずるいというのが、日本人のイメージです」と答えた。

すると彼女は、

「実は、その日中間のイメージの食い違いが、お互いの意思疎《そ》通《つう》の妨げとなり、通訳をしていていちばん苦労するところなんです」と教えてくれた。

彼女は外交官の娘で、小学生のときに語学留学生として日本に派遣された。その後、お父さんが日本駐在をしていた関係で日本に長く暮らした。日本の生活、文化を長く経験した彼女は、日本人の女性より日本人的な雰囲気をもっている。その彼女にして大変な苦労をするというのである。

戦争という不幸な歴史の蹉《さ》跌《てつ》を引きずり、日本人と中国人の間には、深くて暗い大きな溝がある。その現実を直視するならば、意思を媒介する通訳を味方にせずして、何の成功が期待できるのだろうか。

中国人通訳を日本人と同じように公平に遇する、そして積極的に仲間になってもらう。そこに初めて通訳との信頼感が生まれるのではないか。

「私はいつも一生懸命通訳に努めています」

「ことに、私を使う人が、私を信頼してくれているとわかると、私はすごく嬉しくなります。もっと一生懸命通訳に努めるんです」――彼女のこの言葉、肝に銘じている。

もっとも、中国で百戦錬磨《ひゃくせんれんま》の某大手企業の役員氏、

「ぼくは、通訳は大切にしている」

「社員は社員で重要な役割を果たしてくれているが、社員にはとうてい及ばない大事な仕事をしてくれているからね」

「ぼくは、通訳料を、世間相場の二倍支払って、良い通訳を確保している。内緒だよ」――。

中国展開の状況からみて、なるほど、うまくいっているわけがわかった。

通訳使いの究極の名人は通訳と一心同体

北京の人民大会堂で全国から六百人の経営者を集めて経営者養成の講演会を開いたときのことだ。

日本から講師の一人として参加した経営者の講演を聞き、心底からすごいと感心した。

どこの講演会に行っても、聴衆の中には、居眠りを始める人はいるものだ。そのときも、最

初から、グウグウ寝ている人たちもいた。

ところが、この人が講演し始めると、居眠りをする人が目に見えて少なくなってきたのだ。みんな熱心にメモをとり始める。日本語を中国語にするので、二時間はゆうに超えたのにだ。講演が終わり、質疑応答になったが、次から次へと質問が出てくる。他の講演者のときも出ていたが、聴衆が「質問」と手をあげる数が違う。

ある中国人など、

「先生のお話には大変感銘を受けた。だから、自分はそれを詩にした。先生に捧げる」と、その場で朗々と漢詩を詠みあげたのだ。終わるや万雷《ばんらい》の拍手。そこまで感じ入ったのかとビックリした。

さらに驚いたのは講演会終了後、車に乗るまでの間、まるで芸能人の〝追っかけ〟のように、聴衆が講師のまわりを取り囲み、次々とサインを求めたのだ。いつまでも彼らが講師から離れず車が出発できない状態になった。

田舎に帰ったら、

「北京に行って○○の講演を聞いた」

「自分は、聞いただけでなく、彼とも話をし、こうしてサインももらった」と自慢話のお土産

にしたいのだ。

さて、講演会の晩、この講師と通訳とテーブルが同じになり隣席になったので、〝聴衆を魅《ひ》きつけた〟コツを探ってみた。

「お疲れさまでした。大成功でしたね」

「話の内容が良かったことが成功の秘訣とは思います。でも、いい通訳をつけているからこそうまくいったんでしょ」

とズバリ聞いた。

「そうだよ、その通りだよ。通訳がうまいんだよ。おれの話の内容なんてたいしたことないんだよ」

「でもよく気がついたね」

と上機嫌でその〝コツ〟についての話を続けてくれた。

「おれと通訳をしてくれた彼は友人でね。三十年近い付き合いをしている。彼は中国人だが、おれの性格から考え方から、何から何まで知っている」

「だから自分が中国語で話をするのとなんら変わらない。中国人だから中国人に受けるような表現もしてくれる。年季が入っているんだ」

「君もそういう人間を見つけなさい」

「求大同《チュータートン》、存小異《ツンシャオイー》」と〝小異を捨てて大同につく〟の違い

「君は、このことばを知っていますか」――。

日中経済協会前理事長渡辺《わたなべ》弥栄司《やえじ》先生があるとき、突然紙にあることばを書かれ、私に見せられた。

「求大同、存小異」と書かれていた。先生は、中国語で、チュー・ター・トン、ツン・シャオ・イーと繰り返し読まれ、この言葉について解説をしてくれた。

日中国交回復に際し、周恩来総理が、両国のこれからの付き合いの基本精神を、この言葉でよく表現されていたという。

「両国はお互いをよく理解し合い、小さな違い（異）については、それぞれが認め合い、それをそのまま残して（存）大きな目標にむかって協力し合いましょう」という意味だそうだ。

日本では「小異を捨てて大同につく」という言葉がある。両者の間で話がつかないようなとき、「少しぐらいの意見の違いはあっても、大勢が一致できる意見に従う」（広辞苑）という意

求大同(チュー・ター・トン)
存小異(ツン・シャオ・イー)
おー
中
日

味だ。

両国のこの言葉、似ているといえば似ているが、その精神、意味はだいぶ違うように思う。私なりに勝手に解釈するが、日本人は、小さな違いなど捨ててもいいじゃないかと「いさぎよさ」に美意識をもってしまう。また「和をもって貴しとなす」という言葉のように、全体の利益のためには、個人の利益を犠牲にすべきであるとの観念が尊重される。

ところが中国の場合は、違いを大切にしよう。それを残してともに協力しようというのである。もちろん、日本人だって「借りをつくった、貸しをつくった」という精神はもっている。よくいう義理人情、信義を大切にする心である。その意味では、小異は存している。

しかし、両国民の強調する点の違いについては、興味深く思わざるを得ない。ビジネスで重要なのは相互の信用であろう。相手の信用を見抜くには、国民性、相手のものの考え方、気質など、微妙なニュアンスの違いを感じとれなければならない。いってみれば、「小異」に注意深くなければならないのではないだろうか。

交渉がうまく進まなくなったとき、また、交渉相手と懇談《こんだん》しているとき、こちらの気持ちを理解してもらうために、私は「求大同、存小異」と中国語で発音し、周恩来の精神で話をする、と言うことにしている。すると中国人たちはニコッと笑い、うなずきながら握手を求めて

くる。

なぜ、手が出てくるのか？

「お前、少しは中国の文化を知ってるじゃないか」という意味なのか、「中国人をもち上げてくれてありがとう」というお世辞なのか、よくは知らないが、交渉の雰囲気が良くなることだけは確かだ。

第五章　生きたカネの使い方

「お礼」を軽くみる日本企業

「日本企業は一生懸命訪ねてくるが頼むだけ」

「おかげでドアーの具合が悪くなった。直してもらいたい」

日本企業から、ある案件の許認可を中国政府から取り付ける相談を受けたときのこと。日本企業は中国当局に対し一生懸命プレゼンテーションをし、機会をみつけては宴席を設け、理解してもらうことにこれ努めているというのである。

しかし、一年以上かけてやっても、ちっとも色よい返事をもらえないのだ。

この話を聞いたとき、私は、ハハーンと思った。日本企業は日本の常識が通じると信じて疑っていないな、と思ったのだ。

そこで、私は当局のある幹部と、幹部連と懇意《こんい》にしている中国人たちに、この話をした。

すると冒頭の発言となった。

中国当局者たちは、日本のこの企業よりも、同業の欧米企業のほうに親近感を抱いている。

欧米のほうがずっと早くから中国に進出し、自分たちのためにいろいろしてくれたので、それへの〝義理〟もあるというのだ。

さらに続けて、ある中国人の実力者がこう言った。

「どんなに日本の技術が優れていても、今の状態では幹部の誰もが、日本企業を認めてやろうなどとは言い出さないだろう」

「皆、他の幹部の目を気にして、突出するような発言はしない」と。

内、外野とも、ファンがいない状態なのだ。当局の中に〝身内〟を作らなくては、この案件、突破できないという結論が出た。

この話をくだんの会社の幹部にしてあげた。

すると、この幹部、フーッとため息をついてしまった。

「誰が実力者かまではわかります。しかし、その人たちをファンにするためには誰に頼めばいいかがわかりません」

とお手上げなのだ。

「何かいい方法はありませんか」

と聞かれたので、答えることにした。私の答えを聞いたらぎょっとするだろうと思いつつ。

「ここからは、言ってみれば、政治工作です。活動費プラス成功したときのお礼も必要になります。まず、これを用意できますか」

「えっ……」

「費用の名目がたたない。税務当局に費用として認められずに使途不明金にされる。社内も通らない」

話はこれで終わってしまった。

ワイロとお礼をどう区別するか

政治工作とお礼の必要性に触れたが、誤解なきよう。なにもワイロを勧めているわけではない。

中国はワイロ社会と非難されている。事実、腐敗《ふはい》行為が目に余り、社会体制を揺るがしかねないため、中国政府は汚職を次々と摘発《てきはつ》し始めている。表沙汰になったのはまだ氷山の一角に過ぎまい。一朝一夕に社会風土が変わるわけでもなくワイロの効用は生き続けるかもしれない。

しかし、こんなことに手を染めたら、企業をダメにするのが関の山だ。

私が言いたいのは、利潤《りじゅん》を追う企業のために人が何かしてくれたら、それ相応に正当に報いる心遣い、習慣を身につけ、社内の経理をはじめとした体制をきちんと整えろということなのだ。

一年ほど前、某日本企業の中国担当の知人から相談をもちかけられた。中国国有企業のある会社と合弁事業がしたいと言う。

そこで、その国有企業に人脈のある有力者に話をしたところ総経理（社長）夫人と懇意なので、彼女を通して話を進めたらいいと言われ、「よろしくお願いいたします」と頼んだ。

日を経ずして知人と国有企業幹部の会合がセットされた。この有力者がきちんと仲立ちをしてくれ合弁交渉が始まった。

半年くらいして、久しぶりに会った知人に、その後あの件はどうなったと聞いたら、「おかげで話はうまく進んでいる」という。「それはよかった」と答えたが、仲介してくれた有力者へのアフターケアが気になったので、

「○○さんにはきちんと〝お礼〟をしているんだろうね」と確認してみた。

「えっ……」

と言う。案の定だ。

「きちんとしなさいよ」

と言ったところ、

「うちの会社には、こういう例がないんだよ。どうしたらいいの」

と言う。交際費となると気前よく使っているこの知人、応用問題になったら、からっきし頭が回らないのだ。

「それを考えるのは、君の仕事だろう」

と放っておいた。

私は、この男はずるいと思った。信用がおけないと思った。謝礼を払ったかどうかということではない。

さんざん世話になり、仕事がうまくいっているのに、陰で世話をしてくれた人に対する感謝の念がまるでないからだ。誰のおかげでうまくいったのだ。社内で、手柄を独り占めにしたいというサラリーマン根性が見え見えなのだ。

合弁事業の交渉では、双方の利害が必ずどこかで対立する。双方折り合えるならともかく、そうでないとき、知人はどうするのだろう。せっかく有力者を紹介してあげたのに、こうまで

政治センスがないとお手上げである。

私の紹介した有力者のほうは、決しておカネを無心などしない。また、知人が「謝礼です」とおカネを出したとしても、謝絶する人なのである。

しかし、お礼をきちんとし、謝意が相手に伝わっていなければ、次に困ったとき、力など貸してはくれない。

大物ほど簡単にはお礼を受け取らない

ビジネスにからんだお礼の渡し方が難しい――。これが中国だ。ことにおカネの渡し方は難しいと心得るべきだ。

中国を相手にビジネスをしている人間からは、

「日本に招待しろとうるさい」

「招待すればしたで、ああもしてくれ、こうもしてくれとカネのかかることばかり要求する」

というグチがよく聞かれる。

「高級乗用車を定期的に贈ったので、仕事がうまくいった」――という類《たぐい》の話もよく聞く。

しかし、そんな中国人たちが本当に頼りになるものかどうか。一時的な助けにはなっても、信頼するに足るまい。そんな連中は、しょせん〝小物〟で、カネの切れ目が縁の切れ目になる。

また、その程度の付き合いは、まだまだ表面的と思ったほうがいい。

日本の企業が真剣に中国ビジネスに取り組むなら、〝大物〟たちと親交を深めるべきだ。彼らにこそファンになってもらうべきだ。

本物の〝大物〟は簡単にはカネを取らない。

外国企業の名前のついたカネなど決して素直に受け取らない。そんなにワキは甘くない。ワキが甘くては、実力者になどなれないのだ。

だから、中国はお礼の仕方がむずかしいと言ったのだ。

陰に陽に私の力になってくれている古老の話をしよう。彼の生活は質素だ。政府上層部からも信頼され、後輩たちからも慕われている。日本の財界人とも付き合いがある。

「日本の大企業の顧問の仕事をすれば、いい生活ができるのに」と側近の人に言ったことがある。

　すると側近氏、

「一銭たりとも外国企業のおカネを受け取ったことがないのです。それが先生の信用であり、

力なのです」と教えてくれた。現に、

「いつもいつもお世話になっているのに謝礼が払えなくてスミマセン」

と言うと、

「何を言っているの」

「日中友好に役立てば、それでいいの」

と笑って話をそらされてしまう。

しかし、だからといって好意だけでいろいろ面倒を見てもらえると思ったら、大間違いなのだ。利益を得たい人間が利益を得たとき、独り占めで済ませさせるほどお人好しではない。普通の人と同じように、人間としての欲はもっている。

中国では、軍、政府、学校までもがビジネスをしている。古老のかわいがっている後輩にもビジネスマンは多い。彼らにいいビジネスができるよう配慮をしてあげれば古老の〝面子《メンツ》〟が立ち、彼の喜びにもなる。

私の場合は、古老の頼み事については、全部引き受ける。その努力をしたうえで、できないものについては、かくかくの事情でお役に立てませんでしたと素直に言う。

誠意を尽くして、古老の黒子《くろこ》に徹する。そうこうしているうちに、いくつかの頼まれ事が実

現した。

いずれもビジネスとは関係のないものだったが、古老のまわりの人たちが喜ぶような案件だったので、古老の面子も立ち、とても喜んでもらえた。お節介《せっかい》のしがいがあるというものだ。

欧米の企業が、ビジネスを展開するときに、設備をポンと無償で提供したり、寄付をしているのも、このあたりの呼吸を心得ているからである。

「設備を無償供与したら採算に合わなくなる」などとすぐ目の色を変える了見《りょうけん》の狭い日本企業にファンがつかないわけだ。

日本人社員一人より実力コンサルタントを雇《やと》うほうが安くつく

お礼を支払おうにも、使途不明金のようなものは会社の組織上出せない。ワイロまがいのことは、やるべきではない。

受け取る相手方も、信頼できる実力者になればなるほど、謝礼は受け取らない。

しかし、会社に味方してくれる応援団がどうしても必要になってくる。どうすればいいのか。

北京駐在員費用（１人当たり）の試算　年間

▽代表１人（人件費）	2100万円
1500万円＋1500万円×40％（所得税）	
▽オフィス面積80㎡	480万円
このほか３ヵ月分の保証金	120万円
▽現地採用事務員１人	72万円
（女性、日本語可、大卒２～３年の人材）	
月給は5000元と割高	
▽車１台（15000元／月）	216万円
▽通信費（30万円／月）	360万円
▽１年に２回、本国への往復（30万円／回）	60万円
▽中国国内出張費（５万～10万円／月）	60万～120万円
▽交際費（10万～20万円／月）	120万～240万円
▽駐在員アパート代（50万～70万円／月）	600万～840万円
ホテル住まいの場合	600万～840万円
▽設備費	
内装は自己負担（50～100ドル／㎡）	50万～90万円
	合計4238万～4698万円

（注）調査は'95年初

会社の意を体して動いてくれる信用のおける第三者をもつことである。

欧米の会社は、たくさんのコンサルタントを使っている。彼らは、企業と相手方との潤滑油《じゅんかつゆ》の役割を果たしている。

あるとき、中国での業務展開を真剣に考えている日本の大会社に、

「コンサルタントに頼んだら」と中国の有力人脈をもつある人を推薦した。年間千二百万円ぐらいで契約し、別途、成功報酬を払ったらと提案した。

上層部は同意した。ところが中間管理職のところで障害が起きた。

「高い」と言うのだ。

自分が朝早くから、残業までして得ている金額を、たいした拘束のないコンサルタントが易々と

手に入れるのが、お気に召さないということなのだ。実によくわかる心理ではある。

しかし、この話に反対した彼は社員。退職給与引当金、福利厚生費を含めた会社負担は、給与の二倍は超えている。交際費も入れたら大変な額になる。

北京に支店を出している日本企業の支店長一人当たりのコストがどのくらいになるものか、数社調べた結果を紹介しよう（二〇一ページ表）。

九五年の春に計算したものだが、一人支店長を置くだけで四千万円から五千万円近くはかかるのだ。

強力な人脈と情報をもたない支店長と、逆に強力な人脈をもつコンサルタントがいたとしよう。どちらがビジネスに役立つか。そして企業の利益最大化に貢献するのだろうか。日本の企業も年功序列から能力主義に変わりつつある。これを社外の人的資源にも広げるときがきている。

調査計画はこちらで作り、項目を命じてコストダウン

情報は「タダではない」と書いてきたが、かく言う私自身も、調査を依頼し、いざコストを

払う立場になると「高いな……」とケチな気持ちがわいてしまう。正しい情報を知っておかないことには、話にならないだろうと自分に言い聞かせているのが正直な話だ。

ところで、中国の役所に数々の統計データがある。中央にも地方にもある。しかし、「それだけで納得してはダメ。それに細かいデータはない」と教えてくれたのが、経営コンサルティング会社を経営する中国人の友人だ。

彼によると、

「中国は計画経済の官僚国家だ。だから、上層部が喜ぶデータばかりを集めたがる」

「そんなデータを信じていてはダメよ」

と。現に、知り合いのある流通業の国際事業担当役員が、

「それを知らないでフィジビリティースタディー（事業化調査）をやってえらい目にあった」

「現実離れした計画になるので調査のやり直しをして大変だった」

二度と統計を鵜《う》呑《の》みにしないとぼやいていた。

しかし、「あるところには、ちゃんとある」とも言う。そのデータをとってくる能力が友人のコンサルティング会社の財産でもある。

「どうやってとってくるの」と聞いたところ、彼はやにわに書類を引き出し、ある調査プロジ

ェクトの費用項目を見せてくれた。旅費、通信費、人件費、そして「取材費」という項目があるのだ。

日本でなら、取材費は人件費、通信費、旅費を含めてのことなので、「これは何」と聞くと、要するに取材に応じてくれた人に対する謝礼のことという。それも取材先が多いので、結構多額なのである。

「知らない分野だと、コネクションを頼りにデータを持っている人間を探すのに一週間はかかる」

「ベテランでも三日ぐらいかかる」と調査マンの苦労も語ってくれた。

日本では、興信所を使って身辺調査をするのならともかく、統計上の情報をとるのに、有料というのは、まずない。タダで情報を手に入れられるのが普通だ。

中国人同士でさえ、コストを払って情報を手に入れる。まして日本人が情報を必要とするならコストゼロであるわけがない。

しかし、相手の言いなりになることはない。コストダウンの道はある。いい方法を紹介しよう。

調査の設計をこちらで全部作り、これこれの項目を調べろと指示するのである。同時に、抽

象的な文章情報は不要とし、極力、具体的な数字情報にする。これで調査設計のコストを省くのだ。

中国人のリサーチ設計能力はまだ高くない。彼らは抽象的表現で調査を依頼されると、正直困る面もあるのでかえって喜ばれることもある。

調査が完了したら、調査にあたった人間に会い、労をねぎらう。取材の様子や苦労を聞いてみるのだ。生々しいいい話がいろいろ出てくるに違いない。

調査費を削減した分で、調査員たちをさらに取り込み、より良い情報が手にはいるようにもっていくぐらいの積極性と、したたかさがあってもいいのではないか。

中国流「おねだり」――寄付にも〝謝礼〟！

自己人《ズージーレン》をめざし、個人人脈の中から実力者と親交が深められたなら、これほど心強いことはない。

ある日本企業が中国の有力企業と組んで製品の販売をもくろんだときのことだ。

両社の事業担当の最高責任者同士が、会議を開き、一緒に手を組むことでサインした。その

席上、中国側から、ある公共機関に製品を寄付すれば、後々仕事がしやすくなるとの提案がされた。

日本企業の負担額は二、三千万円相当。市場開拓費としては、十分支払えるということで、寄付の話は決まった。

仕事の話の後は、会食。おいしい料理と白酒で双方の幹部同士はすっかり親しくなった。

ところが、二週間ほどしたある日、両社の仲介の労をとった某氏が、深刻な声で電話をかけてきた。

「実は、中国サイドの○○氏が、私の部下にファクスをしてきた」

「寄付の話をまとめたので、その報酬《ほうしゅう》として、数百万円ほしいというのだが、こんな話まずいですよね」

と言うのだ。

当たり前だ。どこの世界に寄付に伴う謝礼のコミッションがあるのだ。あきれかえって、しばし絶句した。

日中間の仕事では、上層部同士は常識をわきまえているのに、中国側の下の連中が、勝手なことをやりたい放題やるケースをよく耳にする。日本企業のほうは当然びっくりする。そして

商談はつぶれる。そんな類のトラブルにあっている日本のビジネスマンは、おそらく、ゴマンといるのではないかと思う。

これが、

「中国ビジネスは危ない」

「すぐカネをせびってくるのが中国人」

――という評判になっているものと思う。

販売のコミッションはモノを売って初めて売値の何パーセントかという世界だ。実務をまかされた○○氏は、ビジネスがまだわかっていない。何か勘違いをしているのかもしれない。

いずれにせよ、事情をもう少し調べ、再教育をしなければいけない、しようということで某氏と話がまとまった。

また、それでも、グズグズ言うのなら、最後はサインした最高責任者の幹部に相談すればいいと思っていた。

この幹部は日本での勤務経験があり、日本の企業がどこに信用を置くか、ビジネスとはどのようなものか熟知している。そのうえ、公私の区別をはっきりさせている。

結局、この幹部氏に相談したのだが、「あらあら……知らなかった」とニコニコした表情で

了解してくれ、ことなきをえた。

これまで、いろいろ面倒を見てもらった経験から、何かあったときの〝駆け込み寺〟として信頼できる。実力者との人間関係の大切さを、ここでも味わった。

たかる中国人、高潔《こうけつ》な中国人を見分けろ

もう一つ、例を紹介する。あるとき、私は憂うつな日々を過ごした。中国人など相手にするものではなかったと悔やみもした。

中国の複数の組織と手を組み、ある仕事をしたのだが、そのうちの一つの組織から執拗《しつよう》なまでにカネを無心されたのである。一年以上にわたり、仲良く一緒に準備をし、信頼できる連中と、すっかり彼らを信用していた。それだけに、最初はわが耳を疑った。

中国に役立つということで、みんなの力が結集できたと喜んでいたのに、これを〝カネ儲け〟の材料にしようとは〝なんて奴らだ〟と怒り心頭に発した。

それだけではない。契約上は、本来は中国側が負担すべきところを、事業の実をあげるには、こちらも資金援助をしたほうがいいと思い、資金をやりくりして集めたところ、「その二

倍をくれ」と言い出したのである。恩を仇《あだ》で返された思いだった。

日中間のとりもちをしてくれた中国側の古老に事情を報告し、うまく処理してほしいと頼んだ。

彼は、

「実にお恥ずかしい話だ。一銭たりとも彼らの要求にしたがってはいけません」

「交渉をする必要もありません」

と間に入ってくれた。

しかし、カネに目がくらんだ連中は、古老を通さずに、「二倍のおカネをもらわなくては仕事はできない」としきりにファクスを入れてくる。日本側にそれ以上のカネがなく、ビタ一文支払う気のないことを説明しても納得しない。

古老から国際電話が入ってきた。

「事務方のトップにいる某氏が、部下に命令して、カネをもっと取れと指示している」と内情を明らかにしたうえで、「もう返事をしなくてもいい。私が処理します」と言ってくれた。その組織の最高実力者に「部下につまらぬことをさせるな」とネジ込み、一件落着させた。

中国では、役所も、公的な団体も商売をする。ここのところが日本と全く違う点だ。日本の

役所感覚でいくと、面食らう。この件にしても、組織の下の連中は、どうやったら取引条件を良くできるか、一生懸命になったのだ。

ニコニコした仲良し顔で付き合ったつもりが、最終場面で私の足もとをみて、カネを引き出そうとした。今でも不愉快で、首謀者《しゅぼうしゃ》を許す気になれないが、これが、中国なのだと思えば、いい勉強にもなった。

逆に、もう一つの組織とは全く何も問題が起きなかった。使命感と責任感が強く、信義に厚い人たちで、ビシッと統制がとれ、実に気持ちよく仕事をさせてもらった。

仕事が一段落したある晩、友人から、

「中国人のいちばん悪いところを見て、いい勉強になりましたね。日本人は、これに出会うと、これをもって中国を評価してしまう」

「しかし、中国人のいい面もみたから、正しく中国が理解できます。よかったですね」

と言われた。

確かに、その通りと思った。同時に、先輩の古老に対しては失礼な言い方だが、いい仲間になっていただいたことをありがたく思った。

中国では、よい仲間を作らなくては、仕事ができないと肝《きも》に銘《めい》じた。

第六章　日本人は何を根拠《こんきょ》にそうタカビシャになれるのか

相手の面子《メンツ》をつぶして慇懃《いんぎん》な仕返しをされた大手企業

日本を代表するようなビッグビジネスが中国政府から、けんもほろろにソデにされた。
「国家○○委員会の許しが出ないので、これまでの話はなかったことにしましょう」とにべもなく断られたのだ。

実はこの話には笑ってしまうようで笑えない裏話がある。

この会社の名誉のために、ここではA社としておこう。A社は、ある技術を中国に普及させたいと考え、中国全土から関係者を北京に集め、そのうえで、あるプロジェクトを計画した。準備を任された中国側の政府機関は、主要機関に声を掛け、北京の会場、ホテルを手配した。その負担費用はざっと百万円。

ところが、この手配にA社の東京本社が、待ったをかけた。
「こんなに安くては、うちの体面にかかわる」というのだ。

そこで、中国側は、会場とホテルを一流どころに切り替えた。その結果、費用は七百万円にハネ上がった。これを聞いたA社、今度は「高すぎる」とやったのである。

中国側は、当然怒った。そしてＡ社にひと泡ふかせたのである。それもＡ社の能力では、とうてい交渉しえないような上層機関の名前を持ち出し、慇懃《いんぎん》かつ強烈にだ。Ａ社の担当者は、まっ青になった。が、後の祭りだ。

　仕事の行き違いはどこにでもある。しかし、ここまで相手を怒らせたのには、何か別の深い理由があるはずだ。

　この件にかかわっていた人たちと懇意な中国の知人と夕食をともにしたとき、

「なぜ、ここまで中国側が不快感をもったのですか」

　と尋ねてみた。知人いわく、

「Ａ社の人たちは『われわれは最先端の技術をもっている』と鼻にかけ、態度がいつも横柄《おうへい》らしいよ」

「傲慢《ごうまん》なんですよ。だから嫌われているんです」

　と教えてくれた。

「たかだか数百万円の話だろう」

「馬鹿な会社があるものだ」

　事情を知れば読者の方の多くはＡ社を笑うに違いあるまい。

しかし、私に言わせれば笑えない話だ。日本企業、日本人が、経済的に立ち遅れている発展途上の国で、よくとりがちな態度と同じだからだ。

A社は、日本においては床柱を背にして座っている部類の企業だ。売上高は優にウン兆円を超え、収益力も強い。いつも、取引先企業からお得意様として、持ち上げられることに慣れている。〝世間知らず〟の面も出てくるのだろう。

中国での百万円は、それはそれは使いでがある。まず、日本に比べたら物価が格段に安い。そのうえ、超割高な外国人料金と違い、中国人が使うのであるから、日本人の感覚の百万円とはケタが違う。何もケチったわけでない。普通にしたまでのことである。

仮に、手配し直してくれと頼んでも、事情をよく説明し、申し訳ないという気持ちがあれば、中国人だって快く対応してくれる。まして仲間意識があれば問題など起きない。どこの国でも同じだろう。

ところが、A社には、申し訳ないなどという気はなかったという。

資金力、技術力の高い自分たちに中国は何かしてもらいたがっていると思いこんでいる。それは事実なのでそれでいいのだが、それがゆえ、中国にとってよかれと思って頼みごとをしても、相手のためになることを〝してあげている〟という意識がついつい頭をもたげてしまう。

そうなったら評価は「生意気な会社だよ」と裏目に出てしまうのも当たり前だろう。

〝してあげている〟という意識ともう一つ、日本企業の態度で、気になることがある。

「来てくれと言ったので行ったのに……」という意識が話の中に見え隠れするのだ。

もしそうなら、とんでもない考え違いだ。

たしかに、中国側は魅力的に誘う。

「どこか日本企業に投資してもらえないか」

「合弁比率は、日本側の希望に合わせる。省政府も全面的に支援する」

——地方政府の省長や幹部から、こんな話がよく持ち出される。中国の友人たちからも「○○公司が日本との合弁をしたがっている。いい条件を引き出せるのだが」とよく言われる。誘致される形で具体化したビジネスの多さが、うかがわれる。

ところが、投資はしてみたものの、どうも勝手が違う。思うように投資の回収が進まない。それどころか、売掛金を踏み倒された等々、いろいろなケースを聞く。一九九四年秋、突然、輸出割り当て入札制度が発表され、中国を生産拠点に輸出を考えていた企業が仰天するようなこともあった。

こんな制度がそのまま実施されたら、中国で生産輸出したって採算に合わない。投資回収計

画もガタガタになる。

日本の業界、政府が抗議し、被害を最小限に食い止めることはできたが、中国当局に対しての不信はぬぐえない。

だから、日本企業の「来てくれと言ったのに……」というグチは、それはそれで理解できる。別に文句が見当違いなどとは言わない。

しかし、実際は、

「われわれの市場を提供してさしあげます。人口も多いし売れますよ。賃金も安いですよ」

「どうです、腕に自信があるのならひとつ儲けてみませんか」

というもので、あくまで自己責任なのだ。

日本の地方自治体が企業誘致するのとはわけが違う。「日本の常識が唯一絶対の常識で、それがどこの国でも通じると思っている」——とんでもない。中国は日本ではない。

中国の経済は今、苦しい局面にある。インフレを抑え、富み始めた沿岸地域と貧しい内陸部の格差を縮小させなくてはいけない。開放政策に沿って市場経済に適応できない国有企業の改革を急ぎ、かつ、うまく処理しなくては社会不安を引き起こしかねない。工業の遅れは、農業技術の近代化の障害にもなっている。

経済を開放体制にしたものの、自由経済のルール、本質をまだ知らない人たちが経営者を含めて多いのが実情だ。先進国のひんしゅくを買っていた腐敗《ふはい》行為にしても、ようやく摘発《てきはつ》し始めたところだ。

中国は大きな国だ。広大な国土と約十二億の膨大な人口を抱える。経済水準はともかくとして、自給自足でやっていける国だ。

中国市場の将来性に賭《か》けた欧米企業は着々と進出している。

日本の優れた生産技術、経営ノウハウ、資本が入れば、中国にとってそれにこしたことはない。しかし、日本企業、日本がなくたって中国は生きていける。その程度の日本なのだと謙虚に考えたほうがいい。

日本人には、異民族の社会に商売目当てで押しかけた〝招かれざる客〟としての自覚が、全く欠けているのだ。

カネ持ち日本人は外国で自立できない

「ユダヤ人は、いろいろな国に入ってうまく活動をしていますね」

「日本人は、どちらかというと苦手です。なぜなのでしょうかね」

中国政府が外国企業の中で最も優遇していると評判のイスラエル企業の幹部と雑談する機会があったので、こう水を向けてみた。

するとユダヤ人氏、

「コケ・コッ・コーというニワトリの声で朝目を覚まし、近所を散歩して、朝ごはんを食べる。そんな普通の生活をすればいいんですよ」

首をすくめて「楽しく暮らせます」とニヤニヤしていた。

わかったような、わからないような遠回しな言い方なので、もっとストレートな話を引き出そうと、さらに質問してみた。

「世界中、どこへ行っても日本人は日本人会なる〝租《そ》界《かい》〟をつくっていますが、それじゃダメということですか」

ユダヤ人氏、「そう」とは決して言わないが、

「日本のビジネスマンはおカネ持ちです。北京でも高級マンションに住んでます」

「週末になると日本人会の面々がゴルフ場に集まり、みんなで仲良くプレーしています」

「私も友だちと行ったことがありますが、みんな日本人なのにびっくりしました」

「もっといろいろな場所に散歩に行けばいいのに。私は散歩が大好きです」

このユダヤ人氏、日本人のことをおカネ持ちというが、彼のほうが比べものにならないくらいカネ持ちである。自社用ジェットで中国国内を飛ぶことだってある。日本企業でそんなことのできるところはない。

だから、彼の言葉の中には、日本人への皮肉が込められている。

いつか彼の北京の会社と打ち合わせをするため、東京から飛行機で一緒になったことがあった。

私はビジネスクラスをとり、彼に挨拶をしようと探したが、ファーストにもビジネスクラスにも見当たらない。まさかと思ってエコノミーを探してみた。いた。

ジーンズにセーター、運動靴のいでたちで本を読んでいた。その姿を見たとき、カネにきゅうきゅうとしている自分が値段の高い席に座る、なんともばつの悪い思いにかられた。

ユダヤ人は、迫害される歴史の中を生きてきた。いろいろな国で生きなくてはならなかった。いざというときに備え、蓄《たくわ》えも欠かさない。カネ持ちも多い。カネ持ちと目立っては嫌われる。だからこそ、普通にするのか、それが異民族の中で生きる知恵なのかと思った。

日本人社員は過保護。それでは価値ある情報など手に入らない

「日本人はクルマの運転ができないの？」――また皮肉が飛んできた。よく見ているものだとユダヤ人氏に感心もする。

そう、北京在住の日本人ビジネスマンは、ほとんど自ら運転しないのである。もちろん、運転しようと思えば、できる人たちである。

しかるべき手続きを当局にすれば、運転の許可はおりる。しかし、皆しない。

というより、正確に言えば、ほとんどの会社が、社員の運転を禁止しているのである。理由は、社員の身の安全の確保だ。

中国では、大都市でも郊外に出ると「強盗に襲われる危険がある」と言われる。信号機の設置も十分でないうえ、中国人の運転マナーは、交通規則をきちんと守る日本人に比べると荒っぽい。

交通事故の現場はたくさん見ているが、いつも黒山の人。まるで人民裁判をしているのかと思えてしまう。ぶん殴り合いの派手な場面にも出くわす。

日本人は
車の運転
ヘタなのだな
だって
運転手を
雇っている
いや
そーで
なくて…
ふふふ
皮肉

だから日本企業は、社員に運転するなというのだ。

その代わり、運転手付きで社用車を社員に使わせる。プライベートな使用についても認めている。買い物から、週末のゴルフ場行きも、運転手付きでできる。もちろん、予算の範囲内でのタクシー使用も自由だ。

確かに北京市の治安は、都市の発展とともに、田舎から大量の人が流れ込み、悪化はしている。しかし、中心部の市街地内なら、危険な地域や時間帯さえ知っていれば、別に安全に支障はない。

信号機にしたって、古くてこわれているものもあるが、こわれているものがあることを前提にすれば驚くにはあたらない。

東京に比べたら、道路は広いし、クルマの走り方ものろい。自転車と人混みを怖がるが、「彼らのほうが上手にクルマを避け、事故になる恐れはないよ」と実際に運転する人は言う。現に欧米人は気楽にハンドルを握って動いている。日本人でも運転手付きのクルマに恵まれない「社用族」以外の人は、自ら運転する人たちも多い。

クルマを自分で運転すれば行動範囲は広がる。行きたいところへも気軽に行ける。日本に比べれば安いが、それでも馬鹿みたいなカネを払って、社員を過保護にし、あげく、行動範囲を

狭くさせている日本企業。

ユダヤ人氏には、それが異様に映るという。

「そんな企業に荒くれ相手の大陸のビジネスができるのかね」――言外にそう言っているように響くのだ。

戦略の分かれ道、今の損か将来の利益か

ある樹脂加工メーカーの事業部長と雑談していたときのことだ。

「中国はマーケットとしては、ものすごい魅力を秘めている」

「潜在需要に対して、供給が全く追いつかない状態だ。中国の同業の企業には、機械設備があっても効率的に稼働させられないところがたくさんある」

と現状を分析してくれた。

「だったら、もっと積極的に投資したらいいじゃないですか」と聞いた。

すると事業部長氏、

「いや、採算が合わないんですよ」と言う。日本の高価な機械と中国における製品価格の低さ

では、とても採算が合わないのだそうだ。

また、輸出しようにも製品がかさばり、輸出費のほうが高くつくので、その道もないのだそうだ。

「事業部は今、採算重視ですから」――これで話は終わった。

ある大手輸送機械メーカーでも同じような話を聞いた。

「アジアの市場を押さえていくには、中国市場を押さえることが不可欠だ。中国での生産をぜひ実現したい」――と中国担当者は熱を入れている。

中国政府も誘致に熱心だ。しかし、いっこうに進出を決定しない。

理由は第一に中国政府の条件が厳しすぎることだという。双方の条件は相当開いているともいう。

そのうえ「今進出したら、採算のメドが立たない」ともらす。

現地生産といっても、実際には、中国で作れない部品が多く、ほとんどを日本から輸出せざるを得ないとか。コストの高い日本からの輸出では、発展途上国でローコストで部品生産しているライバルの欧米メーカーとの競争には勝てないというのだ。

結局この会社、中国進出に踏ん切りをつけない。

確かに、現在の日本企業は、採算を重視しなければいけない状態ではある。国内需要が飽和《ほうわ》し、欧米市場への輸出ドライブもかけられない状態だ。また、人件費が高く、リストラにやっきにならざるを得ない。

しかし、それだけが理由とは思えない。両社とも、経営上層部が真剣に長期的観点に立って中国を研究しているフシがないからだ。

昔、欧米企業は目先の利益を追求し、日本企業は長期的な利益を重視するというのが常識だった。

が、今は逆。欧米企業は長期戦略で中国に臨んでいる。

それにつけても松下幸之助さんは、やっぱりすごい経営者だったと思う。「われわれの投資で中国が豊かになるのなら投資しましょう。その後で儲けさせてもらいます」と中国進出を決めたからだ。

社内面子にこだわる日本人担当者

〝旗本頼りは日本企業、外様《とざま》を有効活用するのが欧米企業〟――はたから中国ビジネス模様を

見ているとこのパターンが鮮明になってくる。

「○○市に近代工場を建設したい」

「日本の優良会社と組みたい。どこかありませんか」

中国の大実力者の側近たちから、あるとき、合弁の話を持ちかけられた。この実力者は、日本の政治家とは違い、故郷には権力を利用した利益誘導をしない。

故郷に対する実力者の郷愁を知る側近たちは、見るに見かねて、自分たちでお膳立てしようと動き始めたのだ。

この話を聞いて、私はさっそく知り合いの日本企業を選定。時間がないので、担当者がいるのを承知のうえで、その会社の最高実力者である会長にボタンをかけることにした。

「かくかくの話があります。ご興味ございますか」

と打診したのだ。

「ほう。面白そうだね」

「ちゃんと採算とれるかね」

「わかりません。調べられたらいかがですか」

「中国の実力者と深い関係を作るいい機会ですよ」

会長は直ちに担当専務、担当部長を呼び、検討を命じた。あとは純ビジネスの世界、両者で勝手にやればいいと思っていた。

しかし、これが甘かった。ここからの動きが突然止まってしまったのである。

担当部長から北京の責任者に話がいったのだが、ここで彼がアレルギーをおこしたのである。

本社から、

「一度北京でうちの責任者に話をしてください」

というので、彼に会った。その表情はいわく言いがたい妙なものだった。彼は、

「私は日程がつまっていてなかなか現地に行く予定がたちません。あそこは、立地条件があまりいいとは思いませんね……」

と、現地にも行かず、相手と話してもいないのにのっけから腰が引けているのである。

もっとはっきり言えば、迷惑顔なのである。

彼には、独自に進めている案件があった。私が紹介したプロジェクトのほうが規模においては比べものにならないくらい大きいのだが、自分の今抱えている仕事に全力を尽くしたいという風情なのだ。

しかし、それは建て前で、現地の責任者の頭越しに、いきなり東京の本社上層部に話をもっていったことで、大いに気を悪くしていることがひしひしと伝わってくるのだ。私もサラリーマンの経験があるので、この心理、とてもよく理解できた。

彼がふだん出入りしている役所や、関係商社が保証してくれる従来の仕事のパターンと違う。きわめて政治的な筋からの話だけにどう判断してよいかわからず、間違いのない話かどうかの見極めさえつかないのだ。

ましてや、見ず知らずの人間から持ちかけられた話だ。

「かわいそうなことをしたかな」と気が咎《とが》めもした。

三、四ヵ月後、くだんの会長に会ったところ、

「担当役員のほうから、事業的には難しいと報告がきたよ。悪《あ》しからず」と言われた。私に話を持ち込んだ連中からは、この会社のことについては何の連絡もなかった。どうやって調査したのかと思ったが、私も別に商売をしようと思っていたわけでもないので、そこで話を打ち切った。

ただ、そのとき、こう思った。

どうして中国の権力者やその側近の連中と知り合うチャンスをみすみす逃すのだろうか。

中国の役所の窓口との交渉に苦労しているという話を聞いていただけに、上層部と知り合いになれば、局面をガラリと変えられるのに。政治関係の連中とかかわりをもつと、抜き差しならぬ立場に追い込まれるとでも思ったのだろうか。

ビジネスをして成り立つ話なのかどうかは、相手の話を聞き、条件が果たしていいものかどうかをじっくり検討したあとのことのはずだ。

ダメな話ならダメと、きっぱり断れば、すむ話である。

むしろ、その過程で、中国上層部のまわりにいる人たちがどういう人間たちかを知ることができるではないか。どんないい情報が入ってくるとも限らない。

話が進まなくても、損をこうむるわけではない。〝ダメもと〟ではないか。

ところが、彼の場合は、未知の世界なだけに、何がリスクなのかもわからない気味悪さがあったのかもしれない。そんなリスクをとるより、社内的にソツなく安全第一主義をとったほうが賢明と考えたのだろう。

寄付も商売のうち、リスクを商社頼みにせず自分でとれ

「日本のメーカーにとっては、一大決心がいるが、ある米国企業のやり方をみたら、彼らが中国を相手にしているやり方は、彼らにとってはなにも特例ではないんだということがわかったよ」と、最近、中国ビジネスにめんくらっていた〝欧米派〟役員がそっと心の内を明かしてくれた。

なんで突然そんなことを言うのかと聞いてみた。

するとこの役員、最近米国で話をした米国企業を見てそう思ったと言う。

その米国企業は自社開発した機器とシステムを、国内のある地域に導入し、いずれは全米に普及させようと計画している。

そして最初の納入先に対しては、一部機器を極端に値引きして渡したとか。

「実質的には設備の寄付に近い」とこの役員氏はため息をつく。

「われわれだって、値引きはする」

「相手が満足しないときは、機器設置の工事をわざと赤字にするサービスだってする」

「しかし、一部とはいえ商品を堂々とタダ同然で相手に渡し、それをテコにシェア拡大を狙う。こんなリスクの取り方はなかなかできない」

「中国で、中国側がよく要求してくるのは、この種の寄付でしょ」

「これまではそれがわからなかった。たかられるのかとばかり感じていた」

と言う。

ところで、日本のメーカーの多くは、商社と手を組みながら、輸出入をし、海外での事業展開を図ってきた。商売のネタ探し、いろいろな商売上の情報、輸出入の金融等々、かなりの部分を商社の力に頼ってきた。

高い口銭《こうせん》は払うが、その中には、商社が負うリスクの部分も含まれ、両者の蜜月《みつげつ》時代が続いた。

しかし、中国に関しては、商社頼りにしていたのでは、欧米に後れをとるばかりだろう。なにしろ中国は大きい。まだ未発展で将来性は高く評価できてもリスクが大きい。商社が中国を最優先の市場と考え、人材とカネを惜しみなく投入しているわけでもない。

中国の企業の多くはカネがない。だから、一緒に手を組まないかという話になると必ず、「カネを負担してくれ」「設備を最初は無償で提供してくれ」と頼んでくる。

ほとんどのメーカーはここで、「またか……」としり込みし、話が先に進まない。

だが、よく考えてみると、売りたいのにしり込みするのも変な話だ。

酒を売る商人が、その酒のおいしさと効用を百遍唱えたとて売れまい。

「ちょっと飲んでみてください」

「おいしいでしょ。さあもう一杯どうです」

と勧めるだろう。極端な商品の例を持ち出したが、本当の商人は売り込みにあの手この手の工夫をする。

この役員、最後に、

「商社に頼らなくてもリスクをとって売るメーカーに変えなきゃな……」

「そのためにはファイナンス機能と体力をつけなければ」と話を締めくくった。

わかっていないギブ・アンド・テークの意味

日本のビジネスマンは、誰でもが「仕事はギブ・アンド・テークが常識」とは言う。

しかし、日本企業の場合は、ギブ・アンド・テークは言葉だけのようだ。理屈としては何と

なく理解はしていても、身体がついていかないのだ。

　某社の取締役から、

「○○○の仕事を是が非でもしたい」と相談を受けたことがある。最初の第一歩が踏み出せれば、その後の展開にかなりの期待がもてるような案件だ。

「ギブ・アンド・テークで仕事をされますか」

　と、取締役に聞いてみた。

「もちろんそうだよ」と、答えが返ってきた。

「では、中国の相手にまずどんな利益を与える用意があるのですか」

　とさらに聞いた。すると、取締役は、

「うちと組めば、利益をわかち合える」

「相手にとっても将来の成長が見込める」

　と言うのだ。

　ここが考え違いのもとなのだ。これは、ギブ・アンド・テークではない。〝テーク・アンド・ギブ〟に等しい。英語のギブ・アンド・テークはなぜ、ギブが先なのか、その精神がわかっていない。

中国企業の資本蓄積はまだたいしたことはない。資本不足のところがほとんどだ。技術力もない。イコール・パートナーシップで組もうとしても、日本企業と互角の立場にはなれない。体面を大切にする中国人にとっては、口惜しいことなのだ。まして「日本なんて」と思っている中国人にとっては、屈辱以外のなにものでもない。とりあえず合弁を組み、ノウハウがだいたいわかったら、ひと悶着を起こして日本企業を追い出すケースがあるが、そんな心理がその裏にはある。

だからこそ、ギブ・アンド・テークの精神がしっかりしていないと、とんだあぶはちとらずになりかねない。

資本がないのがわかっているなら、その合弁のための資本金を貸し、収益の中から返済に回せるように提案するとか、無償で設備や資本を供与してあげるとか、要は身を削り、まず相手に利益をあげる気持ちが大切なのだ。これが将来への信頼感にもつながってくる。利益はその後だ。

こう説明すると、この取締役いわく、

「わかる。自分もそうしたい」

「しかし、この話、社内では理解されないだろう」

Give and take
に決まっているじゃないか
ふぉっふぉっふぉっ
本当に望んでるのはTakeのみだったりして…
疑
……
中
日

なぜ、社内で「ギブ」が理解を得られないと言うのだろうか――。

「まず、社内の連中から、ギブを与えた後、テークの保証はあるのかと、責められるだろう」

「事業のフィジビリティースタディー（事業化調査）を綿密にやったうえで、大丈夫、魅力的事業といったところで、納得してもらえるとは思えない」

と言うのだ。

「そんなにいい事業なら、相手だってやりたいだろう。先に、利益をあげる必要なんかないではないか」

「君は相手にだまされているのではないか」

と次から次へと疑心暗鬼が生まれることを心配する。

そしてこの疑心、確かに一理あるのである。日本でなら、だました相手に対しては、法的、社会的な制裁を加えることが可能だ。

しかし、中国では、裁判制度はあっても、どこまで有利に闘えるものかわからない。またビジネスの世界に社会的な制裁など、そもそもない。だまされたなどと、わめいても、だまされたほうが悪いと馬鹿にされ、笑われるのがオチだ。

「社内の理解ばかりでなく、株主総会でも理解してもらえないでしょうね」と言ったら、取締

役、

「議題にさえあげられないよ」と。

ほとんどの日本の企業が、中国ビジネスでの〝安全保障装置〟をもっていない。一朝事ある時に頼れる、力のある味方、用心棒をもっていない。だから、安全を考えたら下手にギブなどしないほうがいいのかもしれない。しかし、それでは発展はない。

例えば、中国の政府や省政府が間に入って、誘致されたとしよう。何かあったとき、役所の局長、副部長（次官）、部長（大臣）、場合によっては副総理、地方では省長に、直接とりなしてくれるような友人がいなくては、中国では仕事にならない。

その友人を作れるかどうか、その基本がギブ・アンド・テーク、互恵互利なのだ。相手のためになることをする精神である。安全ばかりを考え、テーク・アンド・ギブでは、いつまでたっても日本企業は中国にとってお客様でしかない。仲間になど入れない。

時間ばかりかかるお伺《うかが》い制度は通用しない

ある時、友人の大手都市銀行の部長と日本企業が中国でうまくいかない話をしていた。

「経営責任を負う人間が、体を張って責任を持って交渉しなければダメ」
「稟議《りんぎ》書《しょ》を回して共同責任じゃ時間ばかりかかり中国人も嫌気がさす」
等々、日ごろ思っていることを言った。

すると友人は「日本的お伺い制度がガンなんだろ」「うちの行員もすぐ、上にお伺いをたてる。自分で責任をとって、決めるなんて仕事はないに等しい」と言う。

日本のサラリーマンは、何か決めるとき、上司に、事前に了解をとる。それはそれで組織を円滑に回すうえで重要な仕事だ。しかし、責任逃れのために、上役に責任を回すいい手段になる。度が過ぎると、いつの間にか自己責任の観念がない人間が育つ。

「お伺い制度の中で二十年も三十年も暮らしていたら人間ダメになる。不良債権の処理だって、責任者の顔が見えないでしょ」

「中国ビジネスも同じだよ。中国人に日本人の責任者の顔が見えない。それじゃあ仕事になるわけないよ」

と、友人。中国ビジネスをしたことがないのに、本質をズバリ指摘した。

話は変わるが、十年、二十年の大局的見地から、中国市場への本格進出が必要と考えている某大企業の会長が会社の中国政策が遅々として進まないのにイライラし「経営トップが号令を

かけても、今の巨大組織は簡単に動かない」と苦り切っていたのを思い出す。

会長によれば、長年、惰性で稟議書制度を踏襲《とうしゅう》してきたツケが回ってきたのだと言う。

不祥事をおこしたり、大幅な損失を出しても「みんなで話し合い、責任を分かち合ったのだから、経営責任は問われない」というぬるま湯から抜け出さなくては意思決定は早まらない。

ワンマン経営者のように、自らの責任で意思決定するよう組織として努めなくては、これからの中国市場での展開は、まず望み薄ということか。

自己責任の習慣を身につけ、鍛えられた人間が経営陣に増えてこそ、初めて、中国人が本心から敬意をこめて「手強《てごわ》い交渉相手」と評価するのではないか。

同じ土俵でありながら、欧米企業が、中国を相手にリスクをとりながらダイナミックにビジネスをしているのを見るにつけ、日本企業の活力の喪失、能力の低下を思わざるを得ないのである。

中国ビジネス戦略の要《かなめ》は、まず日本企業の内部改革にかかっている。

一九九六年一月八日付の日本経済新聞「リーダーの研究」で、中国ビジネスに苦労するトヨタ自動車社長の奥田碩《おくだひろし》氏がとりあげられていたので、興味深く記事を読んだ。

中国市場で思うような成果を上げられないことに触れ、「欧米企業なら交渉の場でトップが

『イエス』といえばすむが、うちはトップが相手の言い分を聞くだけで帰ってくる」と、うまくいかない原因を指摘されていた。

失敗の理由はまだ他にもあるが、本質の一つをついた発言であることは間違いない。

というのは、その直前に自動車産業政策に携わる中国政府の幹部と雑談していて、まさにこれと同じ話が出たからだ。

米国のゼネラル・モーターズ（GM）が上海汽車工業公司と合弁に乗り出すことが明らかになって、まだ間もないときだったのでGMが話題になった。

その幹部は、

「GMはこれまでたくさんの副社長が来たが、そのたびに必ず、ビジネスをまとめて帰っていった」

「すでに二十を超える工場に投資している。自動車産業に必要な人材養成のために、大学にも寄付してくれた」

と。これに続いて、

「日本は、いつも慎重で、言うことは同じ。私たちにとって世界で最も手強い相手」と皮肉たっぷりに言っていた。トヨタのことを言ったのかどうか、それは知らない。

トヨタは世界に冠たる会社だ。ＴＱＣ（トータル・クォリティー・コントロール）に優れていることに関しては自他ともに認めるところだろう。

私は、トヨタが、もし、中国で敗者復活戦に臨むならＴ・Ｑ・Ｃとは「タイムリー・クイック・コントロール」と心得られたらいいのではないかと思う。

中国人と仕事をするとき、タイミングとスピードはきわめて大切な要素だ。タイミングがはずれたら、彼らは仕事に嫌気がさしてしまうのである。

まして、交渉ごとをしているときに、その場で返事ができないのなら、子供の使い以外のなにものでもない。何のための交渉なのか。その場で返事ができないこともあろう。それならそれで、ハッキリ理由を言い、戻ってから早急に回答を伝えればいいのだ。

そうした反省があってのことと思うが、日経の記事中で奥田氏は「トヨタは自己革新の途中にある」と言う。

急げ、意思決定。時間のリストラ

「百億、二百億円の投資を一人で決めたいよ」――とあるメーカーの役員。

サラリーマン重役の身で、それも社長でもないのに、この規模の投資責任を一人で持つことが非現実的なことは百も承知のうえだ。

「しかし」

と彼は言う。

「今の日本のように、合議を前提にちんたらちんたら時間をかけていたのでは、もう世界では勝てない」

「経営の意思決定までの〝時間のリストラ〟こそが会社のリストラだよ」

と。この役員は、ある事業部門を担当し、国内外に眼を光らせている。ここ二、三年は中国市場の開拓にも熱心で、中国人脈も着々と増やしている。中国への投資も検討中だ。

中国側からは、投資を促すアイデアが次々と持ち込まれる。

そして、日中ビジネスの定番ともいうべき、

「日本の企業は先行投資をしない。何も決めない」

「決めるのに時間がかかり過ぎる」

という中国側からの苦情をさんざん聞かされてきた。

そのたびに、

「中国はわれわれによほど投資してほしいんだな」

「政治、経済体制がまだこう不安定では、慎重に検討しなきゃ危ない」

と中国側の言い分を〝あちらの論理〟とばかり思っていたと言う。

いくら中国流なるものの本質を解説しても、

「君は甘い」

「むこうに乗せられているんだよ」

と、とりあってくれなかった。

ところがである。米国への出張から帰ってきた途端、彼の考えはガラリと変わってしまった。

「米国の企業の商売の仕方と、中国の商売の仕方が同じだということに気がついた」

「米国企業が中国で成功しているわけがわかったよ」と言い出したのだ。

役員氏の出張先は同業の米国企業で、中国には早々と投資し、今やその収穫期に入っているライバル会社の先行投資の実態を知ったとか。

「日本企業は短期間に利益を上げられるかどうかにこだわる。彼らは長期的戦略に立っている。ひと昔前は逆だったのに」

「日本企業が最もしたがらない投資を当たり前として実行している」

「それ以上に、意思決定の早さに驚いた。このままじゃ勝てないよ」としきりに反省する。

欧米に追いつけ追い越せを合い言葉に頑張ったひと昔前、日本企業は長期戦略を大切にした。将来に夢を持ち、果敢に決断し、挑戦した。そして数々の成功物語を生んだ。

中国市場は、フロンティアである。フロンティアの開拓に夢を持ち、積極果敢に攻略する決断力を期待したい。

あとがき

私は、この本でどうしたら中国人と仲良くビジネスができるかを書いてきた。日本企業の失敗と欠点ばかりを敢えて取り上げたが、その逆をやれば成功するというつもりで紹介した。

ここでは生意気だが、個人的な思いを書かせてもらう。

中国ビジネスを成功させ、息長く中国での仕事を実りあるものとするために最も重要な条件は何なのか。

それは「平和」である。

中国の国内が平和であり、日本が平和であることである。これなくして、実りはない。社会主義経済の壁にぶち当たった中国は、市場経済へ転換し、必死に努力している。汚職、拝金主義が、政府が手を焼くほどはびこってはいる。しかし、これだけが中国と思っては誤りである。一方では、日本企業が驚くような、真面目に経営に取り組む経営者だって多いのだ。

一度工場を見てくれと言われ、河北省唐山《タンシャン》市のセメント企業を訪ねたことがある。日本に比べたら規模ははるかに小さく、設備も前時代的なものだ。

ところが、工場の清掃は行き届き、働く人たちもきびきびしている。決して最新鋭とはいかないまでも、コンピューターを導入し、生産、財務管理の合理化に努めている。

そこの社長が、

「工場をなんとか近代化したい」

「日本企業の協力を仰げないか」

と相談をしてきた。

「自力で近代化するなら協力する」

「資金援助してくれ、無償で技術をくれと甘えないのが条件だ」

と返事した。日本の大手メーカーが協力してくれるというので、その会社の技術者を連れ、再度訪れた。

「近代的なロータリー・キルンを導入するにはどのくらいのコストがかかるのか」

「品質は現在のわれわれのものとどう変わるのか」

等々、実に熱心に質問し、メモをとり勉強していた。

甘えたことを言わないという私との約束があるのを気にしてか、社長は、遠慮がちに、

「貴社との合弁は無理ですか」

と打診した。これに対し、

「輸出立地に難点があるので当方にはメリットがありません。無理でしょう」

との日本側の答えが返ってきた。このときの残念そうな顔が今でも忘れられない。もっと力になってあげられたらなとも思った。

彼はすでに優秀な経営者として政府から表彰され、有名人ではあるが、きっといつの日にか、さらに大きな飛躍をするに違いないと思った。

そんな中国の、額に汗して働く経営者たちを見ると、彼らが日本の企業と手を組み、お互いに栄えたならば、必ずや平和の基礎が築けるのではないかと思う。

最後に一つ。

とりたてて重要な案件がないのに、向こうの要人にただ「会いたい、会いたい」とせっつく日本人の悪いクセ、これだけはつつしんだほうがいい。日本人は要人と会っただけですぐ「ぼくは誰々と今度会ってね……」と、いかにもその要人と親しいかのごとく自慢する。また聞いたほうも聞いたほうで、「ほう、すごいですね」とおだてる。政治家も、経済人も、普通のサ

ラリーマンもみんなそうだ。

当の本人たちは全く気がつかないが、これがいかに中国で失笑をかっていることか。

国会が暇になると、日本の国会議員は海外に出張する。海外の見聞を広めることは、それ自体大いに結構なことである。中国にも行く。

しかし、優れた見識と高邁《こうまい》な理想をもって、世界平和のあり方やそれを実現させるためにはどうしたらよいのか、その中で、日中両国の関係はどうあるべきなのか、目先の両国の懸案事項の解決についてはどうするのか、といったことについて突っ込んだ議論をするわけでもない。一緒に何か有意義なことをしようと働きかけるわけでもない。せっかく来たのだから首脳の「誰々さんと会見し、話をしたい」と会見を申し込む。

何しに来たのかがわからない議員の多さに中国首脳の間では「アタマのぼけた共産党の長老以下の連中がまた来る」という酷評さえされ、それが聞こえてくる。

季節がよくなると日本の経済界もいろいろなミッションを中国に出す。たいした商談もないのに、「日中友好、日中友好」とお題目を唱えこれまた、「偉い人に会いたい」とやる。

欧米の経済人たちが、首相や大統領にくっついて次々と政・財協力態勢で北京に乗り込み、

大型商談をまとめていく——そんな時期と重なるため「この忙しいときに……。来ないでよ」とひんしゅくをかうのである。

日本から行く人は皆、社会の中で相応の地位を持つ人たちである。中国における日本のイメージ、日本人のイメージに大きな影響を与える。「日本人とはこの程度か」と。

昔からこつこつと日中友好のために仕事をしたり、名誉や、金儲けとは無縁の善意で、中国のなかで中国のために自分を生かし、中国で信用を得ている表に出ない人、平和にとって〝国の宝〟のような人たちの努力に水を差しているだけである。

もちろん中国側にも問題はある。「誰それに会わせてあげるからこうしてくれないか」「この程度の話では会見させられない」などと、したたかに計算し、駆け引きの材料にしているからだ。残念ながら、日本は軽く見られているのである。

中国にとって重要な国は米国であり、ドイツ、英国のような欧州の国なのだ。

いずれにせよ、こうした問題は一朝一夕には解決しない。しかし、このままでいいとは決して思わない。

一九九七年は、日中国交正常化二十五周年にあたる。過去二十五年の中で、両国関係は現在が最悪の状態とも言われている。両国首脳の相互訪問が実現する運びとなり、一応両国は友好

の体面は保った。が、実態はなにも変わらない。

二十一世紀に入り、国交正常化五十周年を迎えるときは、
「中国は豊かですばらしい国になりましたね」
「そうですか。しかし、ここまでこられたのは、あなたの国のおかげですよ。謝謝」
「いやそんなことはない。あなたの国の実力ですよ」
「日本もあなたの国と付き合い、活力のある、いい国になりました」

こんな会話が交わされ、お互いが心から「仲良くしてよかったね」と祝いあう関係になっていたらいいなと思う。

その実現に大きな役割を果たせるのが、日中ビジネスの発展なのではないかと思う。ビジネスは「互恵互利」——これなくしては永続きはしないからだ。

そんな思いで書いてきたのが本書である。

おわりになって恐縮だが、この本の元になった「中国ビジネス戦略考」を日経流通新聞に書けと勧めてくれた同紙編集長の池田俊作氏、その記事に眼をとめ、本にしろと、いろいろ指導してくれた講談社生活文化局第二出版部の津田千鶴さんに御礼申し上げます。

新聞記事の最初から最後まで、そして出版に際しても、読みにくい悪筆の原稿を整理し、加筆、修正、再構成といった神経を使う煩雑《はんざつ》な作業に忍耐強く当たり、読者の立場からも手厳しく暖かい批判をしながら協力してくださった浅山真樹さんに心から感謝申し上げます。

一九九七年五月

沼田憲男

著者略歴

一九四七年、東京都に生まれる。七一年、早稲田大学政治経済学部を卒業し、日本経済新聞社入社。第一線の証券記者として景気・金融分野で活躍する。組織の枠にとらわれない人柄と人脈を買われ、九一年から二年間、日経新聞在籍のまま第三次臨時行政改革推進審議会の故鈴木永二《えいじ》会長の秘書を務める。その間、日本とアジア諸国の関係に危機感を覚え、九四年に退社。九六年沼田事務所を設立し、中国ビジネスに関するコンサルティングを行いつつ、十年後をめざして日中の要人ネットワークを築き上げつつある。「中国青年国際人材交流中心」や「中華全国工商業連合会」とも交流をもつなど、中国人から「身内＝自己人《ズージーレン》」扱いされる力を持った日本人として定評がある。

中国《ちゅうごく》で儲《もう》けた人《ひと》が絶対《ぜったい》に話《はな》したくない話《はなし》

一九九七年七月一〇日　第一刷発行

著者——沼田《ぬまた》憲男《のりお》

装画——ソリマチ　アキラ

本文イラスト——藤臣柊子

装幀——鈴木成一デザイン室

発行者——野間佐和子　**発行所**——株式会社講談社

東京都文京区音羽二丁目一二—二一　郵便番号一一二—〇一

電話　編集〇三—五三九五—三五二九　販売〇三—五三九五—三六二五　製作〇三—五三九五—三六一五

印刷所——慶昌堂印刷株式会社　**製本所**——島田製本株式会社

落丁本・乱丁本は小社書籍製作部あてにお送りください。送料小社負担にてお取り替えします。なお、この本についてのお問い合わせは生活文化第二出版部あてにお願いいたします。

ISBN4-06-208800-2（生活文化二）

定価はカバーに表示してあります。